LA JUNGLE
DE PIERRE

GILLES THOMAS
(JULIA VERLANGER)

LA JUNGLE
DE PIERRE

COLLECTION ANTICIPATION

FLEUVE NOIR

Edition originale
parue dans la collection Anticipation
sous le numéro 949

© 1979 Éditions Fleuve Noir

ISBN 2-265-04676-0
ISSN : 0768-3014

CHAPITRE PREMIER

Le monceau de gras qui me faisait face aurait pu orner la vitrine d'un charcutier. Un bloc de saindoux, sculpté en forme d'être humain. Joues blêmes, sans la moindre trace de rose, petit bouton de nez livide, et des yeux en grains de cassis, enfouis dans des paupières graisseuses. Le système pileux laissait aussi à désirer. Cils rares, sourcils inexistants. Une malheureuse mèche roux pâle, étalée à la brosse, faisait de son mieux pour dissimuler la lividité du crâne, et n'y arrivait pas.

Fort peu appétissant, le personnage. J'essayais pourtant de lui faire du charme. Temps perdu.

J'avais espéré avoir le bonhomme en lui proposant un coquet pourcentage sur mes gains hypothétiques. Bien naïf de ma part. De toute façon, le pourcentage, il l'envisageait comme son dû. Des types de mon genre, coincés entre l'Arène et les Compagnies minières, il en voyait défiler trente par jour. Blasé, Bloc de Saindoux, et, sous le gras mollasse, quelque chose d'un peu plus dur qu'une coque de navire spatial.

Quoi que je dise, nous en restions au même point : son programme était bouclé pour deux mois. Il voulait bien m'accepter, mais après. Après quoi? Après mon décès par inanition? Je n'ai pas encore appris à vivre sans manger.

J'étais bloqué sur Breskal par un propulseur cafouilleux. Qui réclamait, pour repartir, le remplacement d'une pièce ultra-coûteuse. Malheureusement, la poignée de CD qui me restait en poche me payait tout juste, à l'heure actuelle, un repas par jour. Et encore. Ni très copieux, ni très mangeable. Sans parler de la piaule qui m'abritait du gel nocturne. Un chien galeux aurait jugé la niche en dessous de sa condition.

Socialement, je me classe Errant. Ce qui revient à dire que je me promène, de planète en planète, avec, dans les soutes de mon navire, un chargement quelconque, et l'espoir de le revendre plus cher que je ne l'ai acheté. Ce qui arrive, mais pas toujours.

En ce qui concernait Breskal, j'avais fait une grosse erreur. Par défaut d'informations suffisamment récentes. J'étais arrivé là avec du matériel minier, dans l'intention de le proposer aux prospecteurs indépendants.

Petit problème. Sur Breskal, le prospecteur indépendant n'existe plus. Les grandes compagnies ont mis la patte sur cette boule farcie de minerai, et elles la tiennent ferme. Très très ferme. Bien entendu, celles que j'avais contactées, en désespoir de cause, pour tenter de vendre, même à perte, mon matériel, m'avaient ri au nez. Qu'est-ce qu'elles auraient fait de robots-extracteurs coûteux, délicats, qui nécessitaient un entretien suivi, alors qu'elles disposaient de toute la main-d'œuvre voulue, à prix très réduit? Un homme réclame moins de soins qu'un robot, et s'il crève, de silicose ou autre, qui s'en soucie?

Conclusion, mes robots-extracteurs pouvaient bien se rouiller dans mes soutes jusqu'à la fin des temps.

Comble de veine, au moment où j'envisageais de partir en vitesse vers des cieux plus cléments, la révision habituelle de mon navire avait révélé un propulseur proche de sa fin. Un saut dans l'Hyper sans avoir changé la pièce défectueuse : le suicide garanti. Nécessité absolue, donc, de réparer d'urgence. Tout simple, mais une pièce de propulseur, ça coûte un peu plus que la peau des fesses. Et toute ma fortune de l'heure se logeait dans mes fichus robots invendables...

Bien forcé de rester sur place, comme une méduse abandonnée par la marée, avec des perspectives d'avenir ultra-réduites. Deux solutions pour ne pas crever de faim. La première : devenir mineur à temps complet. Pas de ça, Lisette ! Les contrats types offerts aux amateurs par les grandes compagnies condamnent, sous le voile d'un habile jargon juridique, le signataire à l'esclavage absolu. Pour en arriver là, il faudrait vraiment que j'aie le ventre collé à la colonne vertébrale, et l'esprit trop anéanti par la fringale pour envisager autre chose que manger. La deuxième solution, j'étais en train d'essayer de la décrocher : l'Arène.

Les cadres des compagnies minières ont la vie plutôt douce, mais ils s'ennuient. Sublime occasion de se distraire : regarder, en se pourléchant les babines, les minables de mon espèce se bagarrer contre l'un ou l'autre spécimen de la faune locale. Du spectacle copieusement assaisonné d'hémoglobine, mais pour les minables, ça paye assez bien. Deux ou trois combats (plus une chance phénoménale) et j'aurais les moyens de remplacer ma pièce foireuse.

J'aurais pu, évidemment, vendre mon vaisseau. Plutôt crever à très petit feu. Le *Snark* n'est pas neuf, mais c'est *mon* navire. La prunelle de mes yeux, et nettement plus que ça. Il m'a coûté cher. En sueurs de sang. Pas question de recommencer l'opération, en repartant de zéro. D'ailleurs, un Errant ne vend pas son navire. Jamais. Ce sont ses héritiers, s'il en a, qui le liquident avec la succession...

Faute de mieux, j'avais choisi l'Arène. Dans une situation désespérée, il faut savoir faire la part du feu. Malheureusement, ma solution semblait se révéler boiteuse à l'usage. Pas un combat possible avant deux mois. Même compte tenu du temps de rotation de Breskal, plus court que celui de la Terre, deux mois c'est long. Je doutais de pouvoir attendre jusqu'au bout sans manger...

J'ai essayé de séduire Bloc de Saindoux, en augmentant son pourcentage, pourtant déjà fixé à 25 %. J'ai poussé à 30, en refrénant une belle envie de cogner sur ce tas de lard jusqu'à ce qu'il fonde.

Une infime lueur d'intérêt a brillé fugitivement dans les yeux en grains de cassis.

Bloc de Saindoux a introduit un index boudiné dans sa bouche, pour tripoter ses dents. Il a gratouillé, suçoté, crachoté. Il prenait tout son temps. Moi, j'entendais sonner les cloches de l'espérance. Je ne suis pas tombé de la dernière averse. Sur mes 30 ans, j'en ai passé exactement 15 à bourlinguer. J'ai appris la musique. Bloc de Saindoux avait quelque chose à me proposer. Jusque-là, il m'avait joué une comédie gentille, histoire de découvrir à quel point exact j'en étais.

J'ai attendu, très paisible, pendant qu'il trifouillait dans ses molaires, obstinément.

Il a ressorti son boudin de doigt luisant de salive, a examiné attentivement le débris collé à un ongle blanchâtre, puis m'a regardé en dessous. Ses paupières boursouflées se piquaient de rares cils raides, plus rouges que ses cheveux.

J'attendais toujours, le visage aussi expressif qu'une sculpture sur marbre Breskien. Je sais faire ça à la perfection.

La proposition espérée a fini par sortir, exprimée avec négligence :

— Eh bien... en y réfléchissant... j'aurais peut-être quelque chose de plus proche... Que diriez-vous d'un double ?

Ce que j'en disais ? Rien du tout. Mais je n'en pensais pas moins. Un double, cela voulait dire qu'il me faudrait combattre enchaîné à un partenaire. Programme qui ne m'enthousiasmait vraiment pas. Dans l'existence, j'ai pris l'habitude de compter uniquement sur moi-même. Je connais mes réflexes. Que ceux de ce frère siamois inconnu se révèlent juste un soupçon trop lents, et ça ferait pour moi toute la différence entre vivre et mourir...

De plus, il y avait sans aucun doute un os

sous la viande. Un gros os. Sinon, Bloc de Saindoux n'aurait pas autant lanterné, avant de sortir sa proposition, comme une opportune bouée de sauvetage...

Je me gardais bien d'ouvrir la bouche. Je regardais par la fenêtre, avec une distraction étudiée. Un ciel de boue pesait sur Urraca, l'unique cosmoport de Breskal. Une sale ville, pierreuse, gelée, inamicale. Des flocons de neige dansaient sur le brun caca des nuages. Les rafales du vent les bousculaient.

Bloc de Saindoux m'a sorti un gracieux sourire. Celui de la pieuvre à l'heure du déjeuner.

— Un double, a-t-il répété, tentateur. Je pourrais vous caser... eh bien... disons dans une semaine... Nous sommes d'accord sur un pourcentage de 30 %?

— Non. Nous ne le sommes plus. On revient aux 25 du tarif normal. En plus, je veux tout savoir. Qu'est-ce qui cloche, dans cette affaire?

La pieuvre s'est indignée, en produisant une moue de bébé puni.

— Voyons! Larcher! Qu'allez-vous chercher là? Je vous propose un combat très intéressant, simplement pour vous dépanner. Je pensais vous faire plaisir. Mais si vous le prenez ainsi! Les amateurs ne manquent pas, croyez-le!

Il mentait comme un marchand d'immortalité en tournée. Il essayait de me vendre sa drogue en solde, celle qui ferait tomber mes dents et mes cheveux au lieu de me rajeunir. Et nous le savions tous les deux. Ce qui nous ramenait à une certaine égalité. Jusque-là, Bloc de Saindoux avait été Dieu le Père juché sur son nuage, et moi, un suppliant à genoux. A présent, les plateaux de la balance se rapprochaient de l'équilibre.

J'ai produit à mon tour un très suave sourire. Celui du requin qui vient de découvrir un naufragé.

— Le pourcentage vient de descendre à 15 %. Qu'est-ce que c'est que ce double? Le partenaire est paraplégique?

— 20 %, Larcher. Le partenaire est une femme.

Le pot aux roses. Une femme! Nettement plus qu'inhabituel. Les femmes ne se battent pas dans l'Arène. Pour des raisons sans aucun rapport avec la misogynie. Dans l'espèce humaine, la femelle a des nerfs plus sensibles que ceux du mâle, et des forces physiques moins développées. Il faut tenir compte des exceptions, mais les exceptions n'ont rien à voir avec la règle.

Pourquoi diantre Bloc de Saindoux avait-il

accepté une femme? Par intérêt, probablement.
Un combat incluant une femme attirerait énormément de voyeurs. Il remplirait l'Arène et les
poches de Bloc de Saindoux par la même
occasion. Pas mon problème. Le mien consistait
à dire oui ou non.

— C'est quoi, cette nana? Une walkyrie?

— Non, a admis Bloc de Saindoux. Mais
vous aurez quand même une partenaire valable.
Sinon, je ne l'aurais pas acceptée.

Possible... Avant ma discussion actuelle avec
Sa Majesté le Directeur, j'avais passé des tests.
Passablement vachards. La femme, walkyrie ou
non, les avait passés aussi. A moins que...

J'ai demandé :

— Elle est jolie?

— Très. Mais vous auriez tort de croire que
je l'ai acceptée pour cette raison. Si elle l'avait
souhaité, elle aurait pu choisir mille fois la
position de femme entretenue, et entretenue par
des gens considérablement plus riches et plus
séduisants que moi.

Bloc de Saindoux avait parlé avec une dignité
assez inattendue. Il ne s'illusionnait pas sur ses
capacités de charmeur, et admettait le fait.

J'en étais toujours au *p't'êt' ben qu' oui,
p't'êt' ben qu' non*.

Combattre dans un double ne me souriait déjà

guère. Alors s'il fallait, en plus, prendre une nana pour partenaire...

A réflexion, j'ai admis que ma répugnance était entachée de misogynie. J'aurais beaucoup moins hésité à propos d'un homme. Or, l'important, ce n'était ni le sexe du partenaire, ni même sa force physique. Seulement ses capacités de combattant.

J'ai demandé :

— Pourrais-je rencontrer cette femme avant de me décider?

Bloc de Saindoux s'est durci. Le métal réapparaissait sous le gras.

— Ça suffit, Larcher! Vous exagérez! A présent, vous acceptez, ou vous n'acceptez pas. J'ai déjà admis un abattement sur mon pourcentage, ce que vous me ferez le plaisir de taire. N'allez pas vous imaginer que je ne trouverai personne. Je vous offre la priorité, par pure bonté d'âme. Si vous n'en voulez pas, dites-le! Après tout, vous aurez toujours la ressource de devenir mineur...

La pieuvre ressortait, avec son sourire gluant.

Bloc de Saindoux ne me proposait même plus une attente de deux mois. Il savait parfaitement que je ne pourrais pas patienter jusque-là. Son double avec une femme à caser le tracassait un

petit peu, sans plus. Moi, j'étais dans la mous-
caille jusqu'aux sourcils. Inutile d'ergoter.

J'ai dit oui, fermement. Avant de demander :

— Un combat contre quoi?

— Un cresscat.

Mon sursaut a poussé Bloc de Saindoux à
ajouter, précipitamment :

— C'est très bien payé. 3 000 CD. Pour
chacun.

Encore heureux. Un cresscat, c'est un prédateur extrêmement agile, et remarquablement
pourvu en griffes et dents.

— Il n'est pas très gros, a poursuivi Bloc de
Saindoux, toute séduction dehors. Et réfléchis-
sez, un cresscat n'a pas les ailes d'une guivre, ou
la cuirasse d'un lézard de roches...

Mais oui, mais oui, mon gros. Ta drogue me
fera vivre jusqu'à deux mille ans... Malheureusement, un cresscat bat une panthère dans la
souplesse et la rapidité. Il a des poignards aux
pattes et dans la gueule. Plus une longue queue
garnie de crochets venimeux. Et moi, j'aurais
tout juste un épieu et un bouclier. Et je serais
enchaîné par la taille à une fille inconnue.

J'ai secoué mes idées pessimistes. Pour
demander à Bloc de Saindoux de bien vouloir
m'inscrire pour deux autres combats, sans trop
lanterner. Pour réparer mon propulseur, il me

faudrait plus de 3 000 CD. Je n'étais pas sorti
de l'auberge. Trois combats, ça faisait beaucoup. Mes chances de survie étaient tristement
basses...

Ma requête a fait naître une petite lueur dans
les yeux de Bloc de Saindoux.

— Vous ne manquez pas de confiance en
vous, Larcher.

— Non.

J'ai arrêté là les commentaires. Que cette
outre graisseuse s'occupe de ses oignons.
Comme je m'occuperais des miens. Tout ce que
ce paquet de lard aurait à perdre, dans l'affaire,
c'était son pourcentage. Moi, je mettrais ma vie
en jeu. A ce que je me suis laissé dire, on n'en a
qu'une...

A propos de pourcentage, j'ai obtenu, après
discussion, que les 20 % deviennent la règle, en
ce qui me concernait. Petite victoire, sans aucun
rapport, somme toute, avec 5 % de plus ou de
moins. Bloc de Saindoux s'est montré plutôt
bonne pâte, en acceptant cette amputation de
ses bénéfices légitimes. Grandement légitimes.
Le cher homme dirigeait l'Arène, après tout. Il
dépendait de la Générale Minière, et devait
empocher un salaire annuel confortable, mais un
petit profit supplémentaire ne se dédaigne pas. Il
prélevait au passage une pincée sur le prix des

places, et s'en adjugeait une autre sur la prime des combattants. La Générale Minière le savait sûrement, et fermait les yeux.

Rien de neuf sous le soleil. La Terre a éparpillé ses enfants dans la Galaxie. Mais l'être humain ne change pas. Egoïsme et cupidité font tourner les mondes, et non plus le monde. C'est la seule différence.

Intermède de paperasses. Bloc de Saindoux a rempli les blancs d'un contrat, et me l'a donné à lire. J'ai pris mon temps pour tout éplucher, y compris les paragraphes imprimés en caractères microscopiques. Jargon juridique, plus ou moins accessible, qui me livrait, pieds et poings liés, à la Générale Minière pour un combat. Que je tente de rompre ce contrat, et la Galaxie tout entière me dégringolerait sur le crâne. Devant la Haute Cour Terrienne, ce chiffon de papier n'aurait pas tenu deux secondes, mais je me trouvais sur Breskal, où Autorités et Police sont aux ordres des grandes compagnies. Rien de plus à en dire.

J'ai signé, et apposé mon pouce sur l'emplacement prévu.

Bloc de Saindoux m'a inscrit ensuite pour deux combats futurs, mais sans juger nécessaire de produire les contrats afférents. Economie de temps, et de papier. Avant que ces combats ne se présentent, je pourrais être archimort, ou avoir acquis une optique différente sur mes capacités...

Bloc de Saindoux n'a plus fait de difficultés pour me donner l'adresse de ma future partenaire. Celle qui allait devenir ma jumelle dans un jeu très risqué se nommait Kyra Serova. Elle logeait rue 82-12 N, au *Grand Hôtel des Etoiles*.

J'avais très envie de faire sa connaissance.

CHAPITRE II

Le *Grand Hôtel des Etoiles* ressemblait au mien, qui lui, se nommait *Grand Intergalactique*. Plus la niche est pouilleuse, plus le nom est ronflant. Loi de compensation...

Le bâtiment datait des premiers mois de la colonisation. Acier bleu, violacé et verdi par le temps, agrémenté de filigranes par l'érosion. Un refuge pour fauchés, identique au mien, que je connaissais déjà par cœur.

L'odeur habituelle m'a accueilli dès l'entrée. Remugle épais, né d'un système de climatisation hors d'usage, et de sanitaires défectueux.

Il faisait presque aussi froid dans le hall que dans la rue. La poussière omniprésente noyait les tapis élimés, et les sièges crevassés. Dans un pot, un arbre à langues jassarien agonisait misérablement.

Embusqué derrière un comptoir hors d'âge, un employé humain soufflait sur ses doigts. Il a

daigné s'occuper de moi deux secondes, le temps
de me dire que Mme Serova n'était pas dans sa
chambre. Non, il ne savait pas quand elle
reviendrait, ni même si elle reviendrait. Il s'en
foutait royalement. Il se foutait de moi aussi, et
de la Galaxie entière. La seule chose qui l'aurait
intéressé, c'était un générateur de chaleur en bon
état de fonctionnement.

20 h 30, temps de Breskal. Kyra Serova
pouvait être nulle part et n'importe où. Inutile
d'attendre. Je reviendrais le lendemain.

Je suis reparti vers mon gîte. Trois bons
quarts d'heure de marche, et des rues non
chauffées. Le casier alimentaire de mon luxueux
hôtel m'attendait.

Je prenais le soir mon unique repas quotidien,
juste avant de dormir. Pas question de gaspiller
mes précieuses calories. Je me couchais dessus,
comme un avare sur son trésor. Sans empêcher,
hélas, les grandes fringales durant la journée.

Enfin, plus qu'une semaine... Ensuite, je
pourrais compter sur une alimentation plus
régulière. Ou sur un manque d'appétit parfaitement définitif...

Je traversais un quartier miteux. Les très rares
passants marchaient vite, mains dans les poches,
tête courbée pour offrir moins de prise aux
rafales tranchantes du vent. Une chute de neige

proche se trahissait par quelques flocons échappés au trop-plein. Le vent qui les emportait dans une course éternelle projetait, en gifles sèches, ces giclées de poussière qui sont l'essence même d'Urraca.

Il faisait très froid. J'avançais mains dans les poches et tête baissée, comme Monsieur Tout le Monde. Pas un véhicule en promenade dans les rues. Ceux qui logeaient dans se secteur n'avaient pas les moyens de s'en offrir un. Moi non plus.

J'ai horreur d'être fauché. C'est une situation urticante. Je l'ai frop bien connue dans ma jeunesse pour ne pas y être allergique. Mon chargement de robots-extracteurs invendables me pesait sur l'estomac, et je ne portais pas les compagnies minières dans mon cœur. Sans leur mainmise sur Breskal, la planète aurait regorgé de prospecteurs indépendants très désireux de devenir mes clients. La mainmise en question datait, tout au plus, de trois ou quatre ans. Les renseignements auxquels je m'étais fié étaient plus anciens. Les nouvelles ne voyagent pas tellement vite, dans la Galaxie, et elles voyagent d'autant moins quand il se trouve des gens puissants pour souhaiter qu'elles restent inconnues.

Je me demandais combien d'esclaves les compagnies minières avaient piégés, en leur laissant croire qu'ils pourraient, sur Breskal, commercer ou prospecter à leur guise...

Je n'ai pas senti la bestiole escalader ma jambe. Par habitude, et pour des raisons de commodité, je porte du cuir de klat, qui vaut une cotte de mailles pour la solidité. Compte tenu du froid breskien, le klat était fourré.

J'ai eu la surprise d'entendre résonner une phrase musicale à hauteur de ma taille.

Et j'ai découvert une boule de fourrure vert-de-gris perchée sur ma hanche. Une boule guère plus grosse que mon poing, accrochée à ma veste par des pattes à quatre doigts. Petite queue touffue, tête ronde au nez de chat, oreilles de fennec, et gros yeux de tarsier.

Que l'Hyper me distorde!

Un chat de Galma!

Etrange animal, en admettant qu'animal soit le terme exact, dont on ne sait à peu près rien. Galma a été répertoriée, mais elle n'a pas encore été ouverte à la colonisation. Mis en cage, un chat de Galma meurt, sans autre raison, semble-t-il, que son désir de le faire. La Liberté ou la Mort. Littéralement. A proximité d'un humain qu'il n'aime pas, un chat de Galma s'en va, et voilà tout.

Or, invariablement, lorsque l'on tente d'étudier leur vie et mœurs, les chats s'en vont.

Il arrive qu'un chat adopte un humain, pour des raisons connues de lui seul. Auquel cas, il acceptera de le suivre n'importe où. L'ennui est qu'en règle générale, le chat ne survit pas très longtemps. Pour une très simple raison. Il se trouve toujours un individu borné pour se dire : « Moi, je réussirai. J'aurai un chat de Galma en cage, et je deviendrai riche. » Et le chat voyageur trépasse, comme ont trépassé ses frères...

Mais que faisait ce spécimen-là sur Breskal, dans un quartier miteux d'Urraca, en plein hiver ? Les chats de Galma prospèrent dans les jungles des zones chaudes de leur planète.

Ce qu'il faisait ? Il tirait sur ma main, dans l'évidente intention de l'extraire de ma poche. Des petits doigts spatulés pinçaient vigoureusement mon poignet.

Le chat a chanté, très harmonieusement, mais la mélodie exprimait une relative aigreur.

J'ai sorti ma main. La boule vert-de-gris s'est engloutie dans ma poche, avec une rapidité magique. Le tour du lapin escamoté.

J'ai ri.

— D'accord, mon vieux, il fait froid dehors. Mais laisse-moi une petite place quand même, je n'ai pas de gants.

Trois ou quatre notes ont répondu. Un acquiescement ? Difficile à dire.

J'ai rentré ma main au chaud. Lentement, et précautionneusement. Les dents d'un chat de Galma sont petites, mais très aiguës. De plus, leurs morsures sont très longues à cicatriser.

Ma main a été acceptée avec bonne grâce. La boule poilue s'est logée dans ma paume. J'ai senti le contact d'un minuscule nez froid.

Nouvelles notes de musique. Un peu assourdies par l'environnement, mais indiscutablement aimables.

Eh bien ça! J'avais hérité d'un chat de Galma! Qui resterait probablement un bout de temps avec moi.

Un chat très petit, très indépendant, qui m'avait choisi. Jamais, je le savais, il ne se serait installé dans ma poche, risque de geler vif ou non, s'il ne m'avait jugé acceptable d'après ses normes. Quelles normes? Autant vouloir traduire en clair les mystères de l'Hyperespace. Pas des normes humaines, en tout cas. Pas des normes animales non plus, si on se référait à la zoologie terrienne.

Mais, dans la Galaxie, une tradition veut que les chats de Galma apportent la chance à ceux qu'ils adoptent. Bon à prendre. En ce moment, j'avais grand besoin d'un peu de veine.

CHAPITRE III

Quand je me suis levé, Rikki, délogé de sa confortable position sur mon estomac, a protesté en notes aigres.

Hors de la couverture, je trouvais aussi ma chambre très froide. Huit ou dix degrés, tout au plus. Les installations de chauffage cafouillaient.

Je me suis décidé pour un petit déjeuner copieux. Déraisonnable, compte tenu de ma bourse plate, mais tant pis. Aujourd'hui je mangerais deux fois. Je ne toucherais ma prime de combat qu'après l'avoir exécuté, d'accord, mais peu importait. Au diable l'avarice!

N'étais-je pas l'heureux propriétaire d'un chat vert-de-gris, qui s'exprimait à l'aide de notes de musique, et qui symbolisait la chance? Je l'avais baptisé Rikki. Le nom ne semblait pas lui déplaire. Quand il le voulait bien, il y répondait.

L'intelligence des chats de Galma n'ayant

jamais été testée officiellement, nul savant rapport n'existe sur le sujet. Mon expérience toute neuve n'éclairait guère la question. Parfois, Rikki me paraissait être plus brillant que moi, parfois il réagissait de façon apparemment stupide. Mais l'intelligence doit-elle obligatoirement se mesurer sur un étalon humain?

Pour le moment, j'avais un petit compagnon amusant, ni encombrant, ni difficile. Il s'était contenté la veille d'une part infime de mon peu appétissant repas, sans faire la moindre manière. Ce qui valait mieux. Compte tenu des circonstances, j'aurais eu quelque peine, à l'heure actuelle, à nourrir un goinfre aux goûts de luxe.

J'ai glissé quelques pièces dans le casier alimentaire. Il a pris son temps pour me délivrer, après force grincements et borborygmes, du thé de braume, un sucre, et de la bouillie de sarruze. Thé et bouillie auraient dû arriver brûlants, mais je ne risquais pas de me rôtir la langue. Faute d'entretien, toutes les installations de l'hôtel se débricolaient.

J'ai mangé avec appétit quand même. Rien de tel qu'une bonne fringale pour donner du goût au plus minable des repas.

Rikki a pris sa part, la valeur d'une cuillère à café de bouillie, avant de filer comme une fusée vers la cabine de douche. Je l'ai entendu barboter dans le lavabo. Il avait découvert tout seul, la veille au soir, comment fonctionnait le système d'alimentation en eau.

Mon thé lavasse terminé, j'ai fait ma toilette, en pestant contre l'archaïsme des installations et le manque de confort.

J'achevais de m'habiller quand on a frappé à ma porte.

J'ai demandé au visiteur de s'annoncer.

Dans un palace de la classe du *Grand Intergalactique,* mieux vaut rester prudent. Le genre de paumé qui y loge est généralement prêt à tout et n'importe quoi pour se procurer un CD ou deux. D'ordinaire, je suis armé, mais Breskal déniant toute autorisation de port d'arme, mon brûleur était resté dans une cache de mon *Snark.* Cache parfaitement introuvable, que j'ai fait installer il y a fort longtemps. Un Errant qui ne disposerait pas de quelques recoins secrets ne ferait pas de bonnes affaires. Les contrôles douaniers sont canulants partout.

Une jolie voix a répondu à ma question :

— Kyra Serova.

Tiens tiens! Ma sœur jumelle. Voilà qui m'arrangeait bien. Et qui m'éviterait de retourner au *Grand Hôtel des Etoiles.*

J'ai ouvert ma porte pour découvrir une petite silhouette, emmitouflée dans des vêtements fourrés. Du cuir de klat, fatigué par un long usage.

Ma visiteuse est entrée, en rejetant en arrière son capuchon. Une beauté! Un visage admirable, au teint mat, aux pommettes hautes. Des yeux magnifiques. Larges, à peine obliques, d'un brun moucheté d'or. Pas de maquillage. Lèvres nues, d'une teinte rose foncé parfaitement naturelle.

La beauté a tendu avec décision une petite main à paume carrée.

— Giraud Larcher?

J'ai répondu oui, machinalement, en serrant la main offerte.

J'étais stupéfié. J'avais attendu à peu près tout, sauf la réalité : une fille ravissante, de vingt ans au plus.

Catastrophe!

Ça, contre un cresscat!

Distorsion de merde!

J'étais frit. Cuit, mort et incinéré, le brave Giraud!

Un mètre soixante de fille, peut-être, et quelques cinquante kilos sous l'épaisseur du klat fourré. Et encore! En lui accordant une musculature qu'elle ne possédait sûrement pas. Et j'allais être enchaîné pour combattre à cette jolie petite chose, faite pour le velours et la soie! Une merveille au lit, certainement. Mais dans l'Arène!

J'en aurais pleuré.

Mon apitoiement sur moi-même m'a valu de prendre, dans l'estomac, un petit poing plus dur que du déryl.

Une contraction réflexe des abdominaux à la dernière seconde m'a évité de restituer mon déjeuner. Mais j'ai valdingué à deux mètres.

Les yeux bruns à paillettes dorées me regardaient avec mépris.

— Si c'est tout ce que tu sais faire! J'aurais préféré un partenaire plus capable!

La jolie voix claire était cinglante.

— Je ne me méfiais pas.

Que l'Hyper me distorde si je n'étais pas en train de m'excuser!

Le petit poing est revenu, aussi sec. Cette fois, j'ai esquivé.

La moutarde me montait au nez, et j'ai rendu le coup, sans aucune galanterie. Je n'ai touché que du vent.

J'ai mieux regardé la petite Kyra. Les yeux mouchetés d'or étaient aussi froids que du miel congelé.

— Ça ira peut-être, a-t-elle admis, sans grand enthousiasme.

Je commençais à croire que ça irait aussi. Pas

bien malin, de vouloir juger les gens sur la mine...

Rikki, qui se tapissait sous la couverture, en a émergé. Il flûtait des notes aiguës.

Kyra s'est exclamée :

— Oh! Un chat de Galma! Il est à toi?

— Disons que c'est moi qui suis à lui.

— Tu l'as depuis longtemps?

— Depuis hier soir, exactement. Et c'est lui qui m'a élu.

— Alors, tu es un type bien. Et tu as de la chance. Les chats de Galma n'accompagnent pas n'importe qui.

Elle s'est approchée du lit, et a caressé Rikki. Le chat a roulé sur le dos, béatement, pattes détendues.

Elle a ri. Un rire aussi musical que le mode d'expression du chat.

Elle penchait la tête. Ses cheveux très noirs dessinaient un casque, coupé aux oreilles, avec une épaisse frange sur le front. Des cheveux brillants, lisses, très fournis.

Elle a demandé :

— Comment s'appelle-t-il?

— Je l'ai baptisé Rikki hier. Je crois qu'il est d'accord.

— Rikki? A cause de Rikki-tikki-tavi, la mangouste du conte de Kipling?

J'ai répondu oui sans faire de commentaires, mais elle me stupéfiait. A notre époque, les amateurs de lecture sont rares. Surtout les amateurs capables de reconnaître un vieil écrivain oublié du passé.

— Installe-toi, ai-je dit, que nous bavardions un peu. Il vaut mieux que tu gardes ta veste. Il fait froid ici.

— Pas plus que chez moi. J'ai l'habitude.

Elle a retiré son klat fourré, en révélant un buste bien dessiné. Deux petits seins aigus tendaient son tricot beige.

— Je suis fauché, ai-je avoué avec un brin de gêne. Je ne peux pas t'offrir à boire.

— Voilà vraiment une information utile! Qu'est-ce que tu irais faire dans l'Arène si tu n'étais pas fauché? Et qu'est-ce que j'irais y faire moi-même, si je n'étais pas dans la même situation?

Elle s'était assise sur le lit. Elle a eu un mouvement de tête vers les reliefs de mon déjeuner.

— Mais tu peux encore manger?

— Pas toi?

— Si. Une fois par jour.

— C'est la même règle pour moi en temps ordinaire, mais ce matin, j'ai été pris de folie douce...

— Parce que tu avais signé ton contrat. (Elle riait.) J'en ai fait tout autant après avoir signé le mien. Quand même, je craignais un peu de ne pas trouver de partenaire... Pourquoi as-tu accepté une femme?

— Je ne suis pas misogyne.

Les yeux brun doré se sont refroidis.

— Tu parles! Vous l'êtes tous! Il n'y avait qu'à voir ta tête quand je me suis présentée. Tu pleurais à tes propres funérailles. Il a fallu que je cogne pour que tu admettes que, peut-être, je pourrais être utile ailleurs que dans un lit! A propos, Giraud Larcher, je ne couche pas! Ne m'embête pas avec ça si tu veux que nous restions bons amis!

La voix était aussi froide que les rafales du vent gelé d'Urraca.

J'étais un brin agacé. Puis j'ai compris. Une fille jeune, et très jolie. Avec de la fierté, et très peu de CD en poche. Combien d'hommes avaient cru qu'elle s'allongerait de suite en échange d'un repas? Mais elle avait choisi l'Arène...

— Inutile de te hérisser, Kyra, je ne vais pas te violer.

Pour être honnête, je l'aurais très volontiers mise dans mon lit. Mais c'était bien son droit de décider, en ce domaine, de ce qu'elle acceptait ou de ce qu'elle n'acceptait pas. Je ne fais quand même pas le complexe du mâle au point de baptiser lesbienne ou frigide la fille qui ne veut pas de moi.

Kyra s'était détendue. Nous avons bavardé, très amicalement.

Kyra était née à Moscou, et avait 22 ans. J'ai parlé de mes trente années, et de mon propre lieu de naissance : Paris.

Puis j'ai raconté les événements qui m'avaient amené à signer un contrat pour l'Arène. Sur le sujet, Kyra ne m'a pas rendu la politesse. Elle était venue sur Breskal avec un transport régulier, pour une raison qu'elle ne m'a pas donnée. Une raison bien précise, pourtant. Personne ne ferait un voyage aller vers Breskal sans pouvoir payer le retour. Breskal n'a rien d'une planète de vacances. Pas question d'espérer y faire du stop pour rentrer chez soi.

J'ai vite compris que Kyra éludait mes questions, et je n'ai pas insisté. Les Errants ne sont jamais inquisiteurs. Ils agissent trop souvent en marge de la loi pour ne pas exécrer les curieux.

J'ai changé de sujet. Nous avons parlé du cresscat, et de ce qu'il conviendrait de faire pour le tuer.

Kyra ne s'était jamais battue dans l'Arène.

Moi, si, une douzaine de fois.

Il n'y a guère que Terra qui interdise ces jeux
de cirque. Bon nombre de planètes s'y adonnent
joyeusement. Seuls varient les spectacles offerts.
J'avais fait mes débuts sur Géranat, contre un
homme, et non contre un animal. J'étais alors
un gamin de seize ans, trop maigre parce qu'il
ne bouffait pas tous les jours. J'avais pourtant
expédié l'adversaire.

Pour son premier combat, Kyra aurait un
cresscat. Quand il s'agit d'une première, c'est
moins dur de tuer un animal qu'un homme. Et,
question vigueur, si j'en jugeais par l'impact de
son poing dans mon estomac, Kyra vaudrait
bien le gosse dégingandé que j'étais alors.
Restait à savoir si elle ne paniquait pas. Ça,
on ne peut jamais le préjuger avant d'avoir
expérimenté. J'ai vu de gros costauds se faire
tuer sans même se défendre, paralysés par la
trouille, et de petits crevards sur qui personne
n'aurait parié un quart de CD lutter comme
des lions furieux. Les ressources de tripes qu'un
être humain possède ne se devinent pas au
premier coup d'œil. Et elles ne se révèlent
vraiment qu'au moment de l'épreuve.

Le milieu du jour breskien approchait. J'ai
proposé à Kyra d'en profiter pour aller faire de
l'entraînement dans la salle de simulation de
l'Arène. A cette heure, elle serait désertée en

raison de la pause déjeuner. Mon expérience personnelle me rappelait qu'aucun novice n'apprécie de s'entraîner sous l'œil des curieux. Aucun débutant n'aime entendre commenter ironiquement ses erreurs, sur fond d'éclats de rire.

Kyra a remis sa veste, et j'ai enfilé la mienne.

Rikki a jailli de la couverture. Il est venu s'installer dans ma poche, avec décision. Il entendait nous accompagner. Pourquoi pas?

Dans le hall de l'hôtel, un écran fatigué et crachotant diffusait les informations. Du blabla sans intérêt, que je n'écoutais pas.

Les mots : « chat de Galma » ont soudainement attiré mon attention.

Le commentateur mentionnait une récompense de 2 000 CD, offerte à qui ramènerait à son propriétaire un chat de Galma égaré la veille. Propriétaire nommé Heinri Soultz, qui exerçait la fonction de Directeur Adjoint à la Générale Minière. Rien que ça. Le numéro qu'il convenait d'appeler pour signaler le chat s'est éternisé sur l'écran.

Honnêtement, j'ai été tenté. Grandement tenté. 2 000 CD m'épargneraient au moins un combat dans l'Arène. Appréciable. Restait l'autre côté de la pièce : je n'obtiendrais cet argent qu'en tuant Rikki.

Le bon Soultz, Directeur-Adjoint, *n'était pas* le propriétaire du chat. Il connaissait son existence, pour une raison ou une autre, mais rien de plus. Il avait voulu le garder, et Rikki était parti, comme n'importe quel chat de Galma qui se respecte.

Que je le restitue à son *propriétaire,* et il serait immédiatement encagé.

Il mourrait...

Fort peu de chose, bien sûr. La vie d'une minuscule boule de fourrure, qui logeait à présent dans ma poche. Moins que rien du tout.

Je suis sorti du hall, avec Kyra, sans bien savoir comment je franchissais la porte. Nous avons commencé à marcher. Nous nous taisions. Le vent soufflait, en rafales glacées. J'ai mis mes mains dans mes poches. Rikki s'est logé dans ma paume, chaud et amical.

Nous avions bien parcouru 200 mètres quand Kyra s'est décidée à questionner :

— Tu vas le rendre à ce type?

— Je ne sais pas.

— Il mourra.

— Oui.

Kyra n'a pas fait plus de commentaires.

Nous marchions très vite, côte à côte, tête baissée pour éviter les gifles de poussière que projetait le vent. Je ne voyais de ma compagne qu'un morceau de profil, coupé par la frange qui débordait du capuchon fourré.

Le ciel boueux pesait sur Urraca comme un couvercle. Il me semblait encore plus sombre que la veille. A mon avis, une tempête de neige se préparait. Les rues étaient désertes, vidées de passants par le froid et l'heure du déjeuner. Quelques véhicules pressés filaient à leurs affaires.

J'ai sorti Rikki de ma poche. Il n'a pas protesté, mais les petits doigts se sont accrochés à ma main. Le vent rabattait en arrière les grandes oreilles molles.

— Tu veux retourner chez ce type, Rikki?

Explosion de notes coléreuses. L'harmonie des sons ne masquait nullement la fureur.

— Il ne veut pas, a dit Kyra.

Sa voix plate constatait, sans plus.

En effet, Rikki ne voulait pas. La musique véhicule aisément les sentiments. Rikki venait de dire non, clairement, avec colère. Et il s'agrippait à ma main, de tous ses doigts menus, frénétiquement.

Prétendre qu'il ne s'agissait que d'une coïncidence, que le chat n'avait absolument pas compris ce que je disais, n'aurait pas eu beaucoup de sens. Je n'ai pas l'habitude de me mentir à moi-même...

J'ai mené une vie trop dure pour pouvoir la qualifier d'angélique. Les règles du bon citoyen sont rarement les miennes. Mais j'obéis toujours à mon propre code. Les 2 000 CD basés sur la vie de Rikki m'auraient coûté trop cher.

J'ai rentré le chat dans ma poche, en disant :

— O.K., mon vieux, on reste ensemble. Mais cache-toi bien. Ne te montre à personne!

Les notes étouffées qui ont répondu exprimaient l'acquiescement. Rikki resterait dans ma poche, j'en étais certain, sans en sortir étourdiment en présence de témoins.

Et Kyra? Voudrait-elle toucher la récompense?

Le visage auréolé de fourrure se tournait vers moi.

— Si tu l'avais rapporté à ce Soultz, j'aurais couché avec le gros porc de l'Arène pour qu'il me trouve un autre partenaire.

— Pourquoi?

— Parce que notre combat n'aurait pu aboutir qu'à la mort. Ceux qui nuisent à un chat de Galma sont poursuivis par la malchance.

— Tu es superstitieuse?

— Parfois.

Il m'arrive de l'être aussi. *Il y a plus de choses*

dans le ciel et sur la Terre que n'en soupçonne ta philosophie, Horatio. L'homme qui a écrit cela est mort depuis très très longtemps. Mais son propos reste valable.

CHAPITRE IV

J'avais enseigné à Kyra ce que je pouvais lui apprendre. Et surtout le plus important : agir de concert avec moi, comme si elle était mon reflet. La chaîne qui unit les combattants d'un double les rend tributaires l'un de l'autre. Une erreur commise par le premier perdra le second, et vice versa.

Kyra ne manquait pas de qualités. Elle avait des muscles, malgré sa fine silhouette, plus des réflexes vraiment rapides. J'aurais pu hériter d'un partenaire beaucoup moins bon.

Sur quinze combats simulés, nous avions tué onze fois le cresscat. Nos chances de survie étaient bonnes.

J'étais aussi satisfait qu'on peut l'être dans des circonstances de ce genre. Satisfait, mais grignoté tout de même par une peur sournoise. La crise de trac rituelle. Personne ne l'évite...

Kyra le cachait bien, mais elle en souffrait aussi. Le teint un peu trop pâle, la bouche serrée, le regard froid. Elle avalait trop souvent sa salive.

Je nouais mes cheveux, pour qu'il ne me gênent pas, en un chignon sur ma nuque. La glace reflétait un visage un tantinet pâlichon aussi. Le gris-vert de mes prunelles avait viré à l'ardoise verdie. Les poussées d'adrénaline assombrissent toujours mes yeux.

Un système de climatisation très au point maintenait dans la loge une température agréable, et l'insonorisation étouffait tous les bruits. Silence absolu, que rien ne troublait. Nous nous taisions.

Nous attendions notre tour, et une attente de ce genre n'est jamais facile.

Nous avions déjà revêtu la tenue idiote de règle dans l'Arène de Breskal. Elle semblait née du délire d'un metteur en scène inspiré.

Je portais une jupette de cuir renforcée de métal. Kyra avait la même, plus deux coupes qui emboîtaient ses seins. Elle restait belle, en dépit du ridicule de ce costume. Harmonie du corps, perfection du visage...

Je lui aurais bien fait l'amour.

Rikki s'était glissé sous l'oreiller d'une couchette. Depuis l'annonce le concernant, annonce qui avait été reprise plusieurs fois à l'heure des informations, il évitait soigneusement de se manifester en des lieux publics. J'aurais bien parié que Rikki comprenait parfaitement le langage humain. Il pratiquait sans défaillance le comportement d'un évadé qui ne veut pas être repris.

La récompense promise pour lui était montée à 3 000 CD. De quoi tenter énormément de gens.

J'étais probablement à classer dans les belles andouilles. J'allais jouer ma vie pour la même somme. Et si j'avais la chance de survivre, il me faudrait recommencer... Délirant!

Notre tableau d'annonce a stridulé. Des lettres écarlates s'y sont inscrites :

GIRAUD LARCHER — KYRA SEROVA
GIRAUD LARCHER — KYRA SEROVA
GIRAUD LARCHER — KYRA SEROVA

Les lettres s'allumaient et s'éteignaient.

Je me suis levé, en même temps que Kyra. Le miel des yeux de ma compagne n'exprimait plus rien. Du verre. Opaque.

Rikki a surgi de son oreiller. Pour chanter une cascade de notes. Il nous souhaitait bonne chance. De tout son cœur.

Le sable avait une teinte triste. Grise, éteinte. Les grèves de Breskal n'ont pas le sable doré de Terra.

Au-dessus du dôme transparent qui recouvrait l'Arène, il neigeait. Les souffleries anéantissaient les flocons avant qu'ils ne s'y posent. Le ciel était couleur de fiente.

Les spectateurs hurlaient comme des loups en folie. Plus une place, sur les gradins, derrière le champ de force qui protégeait les voyeurs de ce qu'ils étaient venus contempler. Un combat incluant une femme était spectacle assez rare pour avoir rempli l'Arène à son maximum. Bloc de Saindoux devait jubiler.

Je lui ai souhaité de crever, le nez sur ses comptes.

J'avais le bouclier emboîté sur l'avant-bras gauche. Un rectangle de déryl à bords courbes, qui me protégerait de la queue venimeuse. Si je ne faisais pas d'erreur. L'épieu se logeait dans ma main droite.

Ma jumelle avait la même arme, et le même bouclier. Nous étions liés par la taille. Un mètre cinquante de chaîne, qui nous unissait, et nous rendait solidaires.

Que l'un meure, l'autre mourrait aussi.

Sans nous être concertés, nous avions omis de saluer les spectateurs, comme la règle l'aurait voulu. Nous ne leur devions rien! Ils avaient parié sur nous, ou contre nous. Ils nous regarderaient mourir ou vaincre, sans y voir plus de différence que quelques CD gagnés ou perdus.

D'autres espéraient de la souffrance, et du sang.

Pour goûter les jeux de l'Arène, il faut avoir l'âme tordue.

Apparemment, les âmes tordues ne manquent pas. A l'intention des malchanceux qui n'avaient pu obtenir une place, le spectacle serait diffusé.

Penser aux voyeurs me rendait enragé. J'étais très très loin du : *Ave Caesar, morituri te salutant!*

Le cresscat est entré par sa porte personnelle. Majestueusement.

Des clameurs délirantes lui ont rendu hommage. Les femmes de l'assistance glapissaient comme des chattes amoureuses.

En dépit des affirmations de Bloc de Saindoux, je ne trouvais pas l'animal si petit que ça. La taille d'un lion, bien nourri depuis sa naissance.

C'est beau, un cresscat, quand on peut le contempler avec la protection d'un champ de force. Très beau. Cela participe du félin, et du serpent. Fine peau écailleuse rouge clair, et taches pourprées en forme de croissants. Les

trois yeux protégés par un renflement corné ont
la couleur du sang frais. Le mufle court évoque
celui d'un fauve. Les dents corail, qui luisent
d'un éclat mouillé, dépassent un pouce de
longueur. Ses pattes hautes donnent au cresscat
une grande agilité. Aucun rapport avec un
dandinement reptilien. La souplesse de la panthère, plutôt.

La queue garnie de crochets venimeux a deux
fois la taille de la bête. Le venin tue en moins
d'une heure, en paralysant peu à peu la victime.
Avant toute autre chose, le cresscat utilise cette
queue comme arme de combat. Et il projette
avec rapidité et précision ce fouet cinglant.

Cresscat a examiné les lieux, et ne les a pas
trouvés à son goût. Il a protesté. Par un
glapissement sauvage, assez intense pour couvrir
un instant les clameurs de la foule.

La queue interminable battait, projetant des
giclées de sable.

Cresscat nous avait découverts. Les trois yeux
rouges nous examinaient. Il a reniflé, dressant le
mufle, puis a amorcé un mouvement furtif dans
notre direction.

Il avait faim, mais il était assez malin pour
prendre tout son temps.

Inutile d'espérer employer contre un cresscat
la méthode masaï pour tuer un lion : attendre la

charge, et recevoir la bête sur l'épieu. Un cresscat, c'est un peu plus astucieux qu'un chimpanzé.

J'ai regardé Kyra, très brièvement. Pas d'effondrement. Elle tenait ferme l'épieu, se couvrait du bouclier, et ne tremblait pas.

J'ai remercié la chance pour ce bon compagnon de combat.

Cresscat a projeté soudain sa queue vicieuse, alors que je le croyais encore un soupçon trop loin. Les crochets ont sonné sur mon bouclier, puis sonné, instantanément, sur le bouclier de Kyra. Ma compagne s'était placée à juste distance de moi. Assez loin pour présenter au cresscat deux adversaires distincts, assez près pour que la chaîne ne puisse restreindre notre mobilité.

J'ai murmuré « avant », entre mes dents, d'une voix tout juste audible pour Kyra.

Nous avons attaqué en bonne synchronisation.

Mais ce cresscat n'était pas de la dernière couvée. Un vieux routier de l'Arène, qui devait avoir à son actif deux ou trois humains sinon plus. Ça, ce n'était pas le genre d'information qu'aurait donné Bloc de Saindoux, mais il suffisait de voir la bête faire retraite d'un trot léger. La saloperie avait appris pas mal de tours.

La foule a exprimé sa désapprobation. Cresscat se faisait insulter. Il s'en foutait. Moi aussi. Les clameurs qui roulaient par vagues n'étaient que bruit de fond, sans aucune importance. J'avais perdu beaucoup de mon humanité. J'en étais aux impulsions primitives. Exclusivement.

Je guettais l'occasion de tuer l'adversaire. Cresscat en faisait autant. Motivations identiques, tout à fait simplistes.

Si j'avais peur, je n'avais plus le temps d'y penser. Dans l'Arène, la nécessité de l'action domine tout. Ceux qui ne parviennent pas à oublier la peur au moment du combat ne survivent pas.

Kyra ne manifestait pas plus de crainte que moi. Les yeux à paillettes d'or n'exprimaient qu'une sauvagerie brute, très loin du stéréotype de la douceur féminine.

Cresscat revenait, à foulées souples.

Il s'est brusquement envolé dans un saut formidable, qui l'a projeté par-dessus nos têtes. La queue a cinglé au passage, férocement. L'angle inattendu de l'attaque nous a presque surpris. Nous nous sommes couverts à temps, mais de justesse. Je n'ai pas pu mieux faire que parer. Je m'en voulais d'avoir manqué l'occasion de toucher le cresscat au ventre.

Le combat durait trop.

Le foutu cresscat s'arrangeait très bien pour rester hors de portée. Mais la queue agressait sans cesse, sous tous les angles imaginables...

Plus le combat traînait, plus nos chances d'y survivre baissaient.

Lutter dans l'Arène fatigue énormément, tant en raison de la tension nerveuse qu'à cause de l'effort physique. Je suais. Kyra aussi. La peur me revenait, par bouffées sournoises. Nous étions contraints à une constante utilisation des boucliers, sans pouvoir employer nos épieux.

Les spectateurs rugissaient de frustration. Ils voulaient nous voir mourir, ou tuer le cresscat. Nos jeux d'esquives perpétuelles les décevaient. Ils nous injuriaient. Ils exigeaient une tentative d'attaque, et peu importait si elle devait se révéler suicidaire.

Je sentais la fatigue. Les réflexes de Kyra se ralentissaient un peu.

J'ai murmuré :

— Il faut en finir, Kyra. Nous perdons nos chances. Essayons de piéger cette charogne. A sa prochaine attaque, feins de perdre l'équilibre, et tombe. J'en ferai autant. J'espère que la saleté viendra à bonne portée.

— Bien.

Kyra ne discutait pas la valeur du plan.

Compte tenu de mon expérience dans l'Arène, elle me faisait confiance. J'espérais vivement cette confiance bien placée.

La queue du cresscat a fouetté, une fois de plus. Le tintement des crochets sur le bouclier de Kyra a coïncidé avec sa chute. J'ai feint de suivre la chaîne, et je suis tombé aussi. Sur le dos.

La foule a rugi.

Le cresscat s'est élancé. Toujours méfiant, il a choisi de sauter par-dessus nos corps, pour cingler de la queue au passage.

Mon bras droit a quitté l'abri du bouclier. J'ai lancé l'épieu, avec un maximum de force, dans le ventre rouge clair.

L'arme s'est enfoncée dans la cible.

J'avais payé cette réussite de trois égratignures au bras droit. Peu de chose, à présent. J'aurais tous les soins voulus très bientôt.

Le cresscat se recroquevillait, roulé sur l'épieu qu'il laibourait de ses pattes et mordait. Griffes et crocs grinçaient furieusement sur le métal. La queue fouettante soulevait des nuages de sable.

Kyra a murmuré « Avant » et nous avons foncé ensemble.

L'épieu de ma compagne a percé le crâne du cresscat, avec force et précision. La bête s'est immobilisée sur un dernier soubresaut.

Les spectateurs hurlaient à faire éclater le dôme.

La réaction de soulagement me faisait des jambes molles. Kyra vacillait. Ses yeux montraient trop de blanc.

J'ai craché entre mes dents, avec hargne :

— Reste debout, Kyra !

Pas question d'un bel évanouissement, avec séquence de mélo : moi rattrapant au vol la beauté défaillante, pour l'emporter dans mes bras. Tout à fait inutile d'offrir ça aux voyeurs.

Kyra s'était reprise. Nous avons traversé la piste, côte à côte. En nous gardant bien de saluer les amateurs de sang.

La porte franchie, un soigneur s'est occupé de mon bras. Trois projections d'antidote dans mes égratignures ont annulé la paralysie qui gagnait mes muscles. Puis nous avons été libérés de notre chaîne.

Le couloir menant à notre loge était encombré. Très. Par des privilégiés qui avaient réussi à franchir les barrages. Les pourboires ouvrent très bien les portes défendues.

Ils voulaient nous parler, ces ignobles, nous toucher, nous tripoter. Et Kyra les intéressait bien davantage que moi.

J'ai envoyé valdinguer cinq ou six peloteurs. Il

n'aurait pas fallu me pousser beaucoup pour que je cogne assez dur pour tuer.

Nous nous sommes réfugiés dans notre loge. J'ai bouclé la porte sur nous. Avec soin.

Rikki a surgi de l'oreiller pour exprimer une chanson triomphale. Il faisait des bonds sur place, la queue en goupillon, les oreilles battantes, dans une danse de joie. Nous lui avons rendu en caresses sa fête d'amitié.

— Tu sais, Giraud, a dit Kyra, j'espérais survivre, bien sûr, mais je n'arrivais pas toujours à m'en persuader. J'ai eu de la chance, avec toi...

— Je peux te retourner le compliment. J'ai eu de la chance avec toi. Enormément de chance.

Kyra retirait les coupes de ses seins, puis elle a enlevé sa jupette.

La perfection de son corps nu m'a soudainement affolé. Une poussée de désir insoutenable. Je luttais pour ne pas me ruer sur elle. Si je l'avais touchée, je l'aurais violée. Je ne raisonnais plus du tout.

Je me suis détourné avant de me déshabiller. Je ne voulais pas révéler à Kyra ma situation d'étalon en rut.

Un corps tiède qui sentait l'acidité de la sueur s'est brusquement incrusté dans mon dos. Deux bras serraient mon cou, et des seins aux pointes durcies s'écrasaient sur ma peau.

— Cette fois, Giraud, je couche. J'ai envie de toi. Tu veux?

Si je voulais? Distorsion sainte!

J'ai atteint, ce jour-là, à un maximum dans les sensations. Ma partenaire aussi.

Rien que de très normal. Ce besoin intense de faire l'amour est une réaction courante chez ceux qui viennent d'échapper à la mort. Pulsion fondamentale, basée sur l'instinct. Tout le progrès imaginable ne changera jamais rien à l'animalité de l'être humain.

CHAPITRE V

Bloc de Saindoux nous avait payé nos primes.
En n'oubliant pas, bien entendu, de les amputer
de son pourcentage.

Il essayait d'amener Kyra à signer un nouveau
contrat, pour un autre double en ma compagnie.
Il avait beau déployer un maximum de charme
gluant, Kyra s'entêtait dans le « non » bien
ferme. Ce qui m'étonnait un peu. Ses CD ne
payeraient pas à la belle un voyage jusqu'à la
Terre, même en 4ᵉ classe, celle des miteux. Les
voyages spatiaux sont ultra-coûteux.

A réflexion, peut-être ne souhaitait-elle pas
plus que quitter Breskal, pour gagner une
proche planète plus hospitalière.

Bloc de Saindoux a fini par admettre sa
défaite. Il a changé de sujet, et déversé sur son
bureau deux bonnes poignées d'olives de communication qui nous étaient destinées. Ces olives

remplacent, de nos jours, les lettres d'autrefois. Elles se glissent dans l'oreille, et délivrent un message enregistré.

Je n'avais nul besoin d'en écouter un seul pour savoir ce qu'ils contenaient tous : propositions de coucheries énoncées plus ou moins crûment. Propositions mâles pour Kyra, femelles pour moi, et homosexuelles pour tous les deux. Plus quelques offres de groupes, désireux d'organiser la partouze du siècle. Que l'Hyper distorde tous ces mal baisés !

Je n'ai pas dit, comme j'en avais envie, à Bloc de Saindoux, ce qu'il pouvait faire de plus judicieux avec ces olives. J'avais encore besoin de lui. Il tenait toujours la bonne position. Que je l'irrite, et il me ferait lanterner jusqu'à épuisement de ma prime, ou il m'offrirait un de ces combats tordus qui ne laissent aucune chance.

Mais Kyra, qui n'avait nulle raison de ménager le tas de lard, s'est chargée de lui indiquer le meilleur parti à tirer des olives-messages.

J'ai pris grand plaisir à voir les yeux en grains de cassis s'offusquer. Bloc de Saindoux en pleurait presque.

Nous avons quitté le bonhomme et l'Arène sans regrets.

A l'extérieur, il neigeait. Une frénésie de

flocons tourbillonnants, que le vent brassait avec fureur. Visibilité nulle, et la neige s'accumulait partout. Les robots-nettoyeurs s'affairaient déjà à dégager la chaussée.

Bien entendu, nous avons opté pour une bulle-taxi. Et programmé sa direction vers un restaurant coté. C'est comme ça, les fauchés. A peine sortent-ils de la dèche qu'ils gaspillent leur fric durement acquis.

Mais nous avions envie, au moins une fois, d'un bon repas pris dans un cadre agréable. Les économies éventuelles viendraient ensuite.

Le *Germiraco* se classait trop somptueux pour nous. Dans l'élégante assistance, notre cuir de klat éraillé détonnait. Au joli temps jadis, un maître d'hôtel chichiteux nous aurait sûrement éjectés, à grands renforts de politesse réfrigérée. Mais les robots-serveurs n'ont pas de tels soucis. Leur programme concerne le service, exclusivement. Ils circulaient, encerclant les dîneurs de figures de ballet bien réglées.

Nous avons négligé le vestiaire (gaspilleurs peut-être, mais quand même pas idiots) et trouvé une table. Exiguë et mal située, mais libre. Il n'en restait plus guère. La salle débordait. Dîneurs bien vêtus, dans le style correct. Pas de fantaisies vestimentaires pour ces cadres à belle situation. Même pas chez les dames. Pas de corps nus mais peints, pas de résilles lumineuses, pas d'orchidées versiennes greffées dans la peau, pas de bijoux incrustés... Même le maquillage restait discret.

Il y avait là quantité de femmes, plus ou moins jolies, mais Kyra les enterrait toutes.

Nous nous sommes assis. Je n'avais plus expérimenté un siège aussi confortable depuis longtemps. J'ai retiré ma veste, pour l'accrocher à mon dossier. La pièce était surchauffée. Je craignais un peu que le pauvre Rikki n'étouffe dans ma poche.

Kyra s'est débarrassée de sa veste aussi. L'apparition de son buste, moulé dans une chemise en laine d'Eristal, a allumé les yeux qui l'épiaient plus ou moins discrètement. La part mâle de l'assistance était passionnée.

J'avais mon bout de succès aussi. Quelques gentes dames me reluquaient en douce. Facile de voir que, le cas échéant, elle s'encanailleraient volontiers.

Le regard d'un voisin proche se ventousait sur Kyra. Un regard déplaisant. Les yeux bleu bébé, plantés à fleur de tête, s'exorbitaient dans l'avidité. Un type dans la cinquantaine, qui occupait seul sa table, et présentait une allure cul-cousu-d'or.

J'ai réalisé à retardement que j'avais déjà vu cette face carrée, ces lèvres minces, et ces yeux globuleux trop pâles. A l'heure des informations.

Monsieur le Directeur Adjoint Heinri Soultz en personne!

Le hasard de cette rencontre m'amusait. Qu'aurait dit le cher homme en apprenant que le chat qu'il réclamait comme sien logeait en ce moment dans ma poche? Déjà, Sa Majesté n'admettait guère qu'un minable de mon genre ait une aussi belle compagne que Kyra. S'il avait su que j'avais aussi Rikki!

J'avais grand tort de rire.

Rikki a soudainement jailli de ma poche, avec l'élan d'un navire qui s'arrache à l'attraction. Sa vitesse était si grande que personne sur le moment n'a remarqué la course de cette boule vert-de-gris.

La ruée du chat s'est achevée sur la tête de Directeur Adjoint. Rikki a commencé à mordre, comme une bête enragée. Il émettait en même temps une musique furieuse. Un chant de guerre. Rage et bataille. Fracas d'épées, staccato des mitrailleuses, rugissement des armes atomiques...

Directeur Adjoint se débattait, en hurlant comme un porc saigné. Mais Rikki se déplaçait si vite, du nez à l'oreille, de la paupière au menton, que les mains frénétiques de l'assailli ne parvenaient pas à le saisir.

Les dîneurs glapissaient d'effroi et de surprise, de la vaisselle voltigeait, et les robots-serveurs, ne comprenant rien à cette séquence non programmée, totonnaient entre les tables.

Certains courageux se sont élancés pour secourir la victime.

J'ai foncé aussi, mais pas dans le même but. Malgré sa rapidité, Rikki risquait fort de se faire tuer. Pour anéantir la vie dans un si petit corps, il ne faudrait pas de bien gros efforts...

Directeur Adjoint, dont le visage sanglant réclamait les soins d'un bon chirurgien esthétique, a pris une belle manchette sur la nuque. Il a cessé de piailler, pour s'affaler dans son assiette.

J'ai attrapé Rikki au vol, et je l'ai fourré dans ma chemise.

— Du calme, mon vieux!

Les courageux m'encerclaient en braillant.

J'ai cogné deux fois pour ouvrir le passage. Extrêmement sec. Les courageux restant en lice ont reculé, avec un ensemble touchant. Braves peut-être, mais pas téméraires.

Kyra m'attendait près de la sortie. Elle n'avait pas oublié de récupérer ma veste.

J'ai vu ma belle compagne frapper, avec précision, un gêneur qui voulait l'empoigner. Sans doute avait-il cru qu'il serait plus aisé de retenir une femme que moi. Mauvais calcul. A mon avis, le coup reçu lui avait fracturé le nez. Fortiche, la mignonne Kyra.

J'ai appris par la suite qu'elle transportait en permanence un boudin de déryl destiné à alourdir son poing en cas de nécessité.

Nous avons quitté les lieux en hâte, en prenant une bulle-taxi. J'ai programmé au hasard une destination. Le point d'arrivée comptait peu. L'important était de nous éloigner au plus tôt.

Rikki s'est agité dans ma chemise. Il m'a pincé l'estomac en flûtant des notes revendicatives. Je l'ai libéré de sa prison. Oreilles aplaties, fourrure ébouriffée, queue en goupillon, et museau taché de sang.

— Mais qu'est-ce qui t'a pris, Rikki? Je croyais que tu avais compris qu'il ne fallait pas te montrer, et tu déclenches un énorme scandale!

La musique vibrante qui a répondu expliquait sûrement quelque chose, mais quoi?

— Je suis certaine qu'il parle, a dit Kyra. Il faudrait essayer de codifier son langage.

Elle a gratté le crâne du chat.

— Tu t'es bien battu, Rikki. Qu'est-ce qu'il t'avait fait, ce sale type?

Nouvelle musique, précipitée. Incompréhensible, hélas.

— Il doit haïr ce mec aux yeux de grenouille, ai-je dit. Je pense qu'il aurait voulu le tuer. Il a probablement senti son odeur à distance.

— C'est aussi mon impression. Rikki s'est comporté comme quelqu'un qui rencontre soudain un ennemi exécré, et qui se laisse emporter par la rage.

J'étais d'accord avec Kyra. Mais l'explosion de fureur du chat nous avait placés en situation difficile. Compte tenu de sa position sociale, Directeur Adjoint devait avoir la police à sa botte. Nous avions à craindre d'être pourchassés...

Nous avons discuté un moment la situation. Pour décider de ne pas regagner nos hôtels miteux. Mieux valait nous installer dans l'un des caravansérails géants du Cosmoport. Ils sont totalement automatisés. Nous y disparaîtrions plus aisément. Un hôtel de bonne catégorie est un refuge temporaire plus sûr qu'un bouge. Les robots de service suivent leur programmation. Ils ne s'intéressent à rien d'autre.

La chambre où nous avions abouti était aussi confortable que banale. Décor de série, fonctionnel et bien entretenu.

Kyra s'est assise dans un fauteuil. Elle a levé la tête vers moi.

— Il faut faire réparer d'urgence ton propulseur, Giraud. Je vais te prêter de l'argent.

— Ta prime ajoutée à la mienne ne suffirait pas, Kyra.

— Je suis riche, Giraud. J'ai parié sur nous. Et j'ai fait une belle cote. Personne ne croyait qu'un double avec une femme pourrait gagner.

— Parié? Avec quoi? Je te croyais au bout du rouleau?

— Je l'étais. Mais, avant le combat, je me suis vendue plusieurs fois pour avoir une somme à miser. Et je me suis vendue très cher!

Surprenante Kyra. Elle avait choisi l'Arène, et elle s'était vendue ensuite pour miser sur notre victoire! Je ne comprenais plus...

Kyra m'a souri. Ses yeux brun doré étaient indéchiffrables.

— Je t'expliquerai, Giraud. Mais commande d'abord un repas au casier, veux-tu. Avec toute cette histoire, nous n'avons pas mangé. Je suis morte de faim.

Notre nouvel hôtel nourrissait fort bien ses clients. Mais pas pour rien. Il m'a fallu glisser bon nombre de CD dans la fente idoine pour obtenir la livraison de deux repas.

Production locale, dans l'ensemble, mais excellente qualité. Nous avons dévoré, en affamés que nous étions. Rikki a grappillé dans nos assiettes.

Nous en étions au café, un authentique café terrien passablement ruineux, quand Kyra s'est décidé à parler.

— J'ai une proposition à te faire, Giraud. Que dirais-tu d'un autre double? Mais pas dans l'Arène. Un double avec des risques, bien sûr, mais si nous le gagnons, nous empocherons tout autre chose qu'une minable prime. Quelques millions de CD.

Le visage de ma compagne, lisse et calme, ne traduisait pas grand-chose.

— Quelques millions? De quoi est-il question? Tu as trouvé une combine pour vendre l'immortalité aux directeurs des grandes compagnies?

— Ça ne serait pas aussi rentable. J'ai mieux à te proposer. Tu as entendu parler de la Jungle de Pierre, Giraud?

— Plus ou moins. Elle nourrit les rêves des ivrognes et des paumés. Quelque part sur une planète dont j'ignore le nom, il existerait un monde souterrain de cavernes. On y trouverait une vie minérale, et des cristaux clares en grande quantité. Mais c'est un de ces contes qui...

— Il n'est pas question d'un conte! La Jungle de Pierre existe réellement!

Voix très convaincue. Je l'étais moins. J'ai peu de goût pour les histoires fumeuses.

— Elle existe! Mon oncle l'a découverte. Il était prospecteur indépendant. Toute sa vie, il a erré en cherchant la fortune. Il nous rendait visite de temps à autre, quand j'étais petite fille. Il me fascinait par ces récits. Il partait, il revenait, toujours aussi gueux. Il empruntait de l'argent à mon père, et ma mère se fâchait. Nous n'étions pas bien riches. Ma mère appelait ces prêts un gaspillage insensé. De fait, mon oncle promettait invariablement de rendre au centuple, et il ne rendait jamais rien. Mais, à son dernier passage chez nous, il a donné à mon père deux cristaux clares. En disant qu'il en avait trouvé la source, et que seul un accident l'avait empêché d'en rapporter des kilos. Mais il comptait bien repartir, et revenir plus riche que Crésus. Mon père n'y a pas cru, ma mère encore bien moins, mais moi, j'y croyais!

Kyra a fermé les yeux un instant, sur ses souvenirs. Oui, elle y avait cru. Et elle y croyait encore. Son rêve d'enfant l'avait poursuivie jusqu'à l'âge adulte...

— Mon oncle n'est jamais revenu. Mes parents sont morts tous les deux accidentellement quelques années plus tard. J'ai dû me débattre seule pour survivre. Quelques années encore se sont écoulées, avant que je ne trouve les cartes. Des cartes établies par mon oncle. L'une indique où se trouve la Jungle, l'autre le chemin à suivre pour arriver aux cristaux. Giraud, c'est ça que je veux te proposer. Aller chercher des clares. La Jungle est ici, sur Breskal.

Voilà qui expliquait les motivations de Kyra. L'expédition qu'elle voulait entreprendre serait coûteuse. Deuxième point, les cristaux devraient quitter Breskal en fraude, et là, mon navire devenait utile. Oui, mais ces clares n'étaient-ils pas une chimère?

Kyra devinait mes réticences. Elle a martelé :

— J'ai vu les cristaux, Giraud !

— Je n'en doute pas, mais ton oncle a pu fabuler sur leur origine.

— Non! Il n'aurait pas donné ces cartes à mon père. Ne veux-tu pas essayer, au moins? A présent, j'ai de quoi faire réparer ton navire, et financer l'expédition. Préfères-tu vraiment jouer encore ta vie dans l'Arène? Qu'aurais-tu de plus à perdre en m'accompagnant? Je ne t'aurais pas cru si tatillon.

La belle bouche avait un pli dédaigneux, puis Kyra m'a souri. Le miel foncé de ses yeux faisait du charme.

— Essayons, Giraud!

Après tout, pourquoi pas? Qu'est-ce que j'avais à perdre, en effet? Les cristaux clares ont détrôné les diamants. Ceux-là existaient-ils, ou non? Les cartes de l'oncle matérialisaient peut-être la chimère d'un rêveur. Mais j'ai l'habitude du jeu. Sinon, j'aurais choisi une autre profession que la mienne. Un Errant ne fait pas que des bénéfices sur ses transactions. La preuve : mes robots-extracteurs...

— Très bien, Kyra, essayons.

Rikki a chanté une petite musique gaie. Il avait l'air d'être d'accord aussi.

Les informations que nous avons écoutées plus tard parlaient de lui. Et de nous. Les « événements du *Germiraco* » faisaient la « une ». Le commentateur n'avait pas assez de larmes pour pleurer sur ce pauvre M. Soultz, si défiguré qu'il faudrait lui greffer tout un nouveau visage. La police demandait aux deux personnes qui, d'après les témoignages, étaient parties avec le chat, de se présenter d'urgence, pour leur propre bien. Ce chat de Galma était malade, sujet à des crises qui le rendaient extrêmement dangereux.

En règle générale, les témoins ne savent pas regarder. Les signalements donnés pour Kyra et moi ne nous ressemblaient guère. Mais la prime concernant Rikki était montée à 5 000 CD. Beaucoup d'argent pour une si petite poignée de chat.

Restait à savoir si la chasse allait être ardente, ou routinière. Tout dépendait du poids exact de Directeur Adjoint.

CHAPITRE VI

Nous avons quitté Urraca au matin d'un jour ensoleillé et froid, avec une bulle-caravane. Nous avions un long voyage à faire pour rejoindre les monts Albrégon. La carte de l'oncle situait là l'entrée du monde souterrain où gîtaient les clares.

Le ciel avait sa teinte de gris jaunissant, qui est celle du beau temps sur Breskal. Le petit soleil d'ocre rouge brillait sans chauffer. Le vent habituel avait laissé place à une bise aigre.

Après bien des démarches, et grâce au charme de Kyra, nous avions obtenu deux permis de chasse. Nous comptions jouer les touristes cynégétiques. Breskal en accueille, à l'occasion, qui viennent là pour les cresscats, les guivres, les lézards de roche, ou les loutrans des neiges. Mais comme un prétendu goût pour la chasse camoufle parfois un désir de prospection illégale, les Autorités ne délivrent pas volontiers les permis nécessaires. Sans les beaux yeux brun doré de Kyra, nous n'aurions rien obtenu.

Le matériel de prospection que nous emportions avait été logé sous un faux plancher installé par mes soins. Il m'arrive assez souvent de transporter des marchandises interdites pour que je sois devenu expert en dissimulation.

Pour le moment, en raison des contrôles possibles, Rikki logeait aussi sous ce faux plancher. Il s'y était installé sans enthousiasme, mais sans protester.

Nous suivions encore le réseau routier. Voies nettes, dégagées de toute neige, ce qui ne serait pas le cas partout. Breskal est peu peuplée. En dehors des régions où les compagnies minières se sont implantées, il n'existe ni villes, ni villages, ni routes. Pour atteindre notre but, il nous faudrait nous écarter des lieux civilisés. Un véhicule volant aurait mieux valu que la bulle, mais il aurait été trop coûteux, compte tenu de nos finances actuelles.

Nous approchions de Brags quand nous avons été arrêtés par un barrage de police. Important dispositif, et nuée d'hommes en combinaisons chauffantes blanches. Des hommes froids, efficaces, et tout aussi aimables que leurs plaines enneigées.

Nos papiers et permis, épluchés ligne par ligne, ne leur ont pas suffi. Ils ont voulu fouiller aussi notre habitacle.

Kyra a pris l'air lointain de quelqu'un qui s'ennuie à attendre la fin de ces absurdes formalités. Je m'efforçais de donner la même impression. En espérant que mon faux plancher voudrait bien tenir le coup.

Ils ont fouiné. En ne négligeant pas les recoins. J'ai vite compris qu'ils cherchaient autre chose qu'un éventuel prospecteur en veine d'indépendance. Quelque chose de très petit.

Je tenais la réponse à ma question. Directeur Adjoint avait du poids. Beaucoup. Et il voulait toujours Rikki.

Mon faux plancher a passé vaillamment l'examen. J'étais fier de moi.

Par prudence, malgré le côté vague du signalement donné de nous par les témoins, Kyra et moi avions un peu modifié notre apparence. J'avais raccourci mes cheveux, laissé pousser ma barbe en échange, plus une moustache qui m'encadrait la bouche. Kyra portait une perruque rousse, et un maquillage trop accentué, qui la rendaient un tantinet vulgaire.

Les vilains fouinards ont quand même fini par nous autoriser à repartir.

CHAPITRE VII

Les villes s'étaient raréfiées. Monotonie du long ruban d'acier, bordé d'éternelles étendues neigeuses. Presque pas d'arbres. Breskal a peu de végétation. Occasionnellement, un baddur solitaire apparaissait, ses branches tire-bouchonnées poudrées de neige. Son écorce couleur de sang frais mettait une tache dans le blanc immuable.

Le guideur de la bulle, couplé à celui de la route, dirigeait notre véhicule, nous libérant du souci de la conduite.

Nous avons fait halte à la nuit sur un parking. La nécessité de nous dégourdir les jambes devenait impérative.

Durant que nous enfilions nos combinaisons chauffantes, Rikki a chanté sous son plancher, sur un mode suppliant.

Kyra l'a appuyé.

— Laissons sortir ce pauvre chat, Giraud. Il doit mourir d'envie de remuer un peu.

J'ai acquiescé. Nous ne courions pas grand risque d'être surpris à cette heure tardive. Le parking était désert. Et la police de Breskal, qui manque un peu d'effectifs, est comme toutes les autres, il lui arrive de se reposer.

Avant de quitter la bulle, nous n'avons pas oublié de prendre des fusils. Breskal regorge de prédateurs fort dangereux.

Nous avons fait un bout de promenade. Belle nuit de gel, éclairée par Meïra, la lune de Breskal. Une petite chose de cuivre rouge, qui est cernée par un brillant anneau d'astéroïdes.

Rikki a exécuté, sur les branches en tire-bouchon d'un baddur, un numéro d'équilibriste très au point. Il montait, descendait, sautait, plongeait, à une vitesse pharamineuse.

Sa performance terminée, il a jugé préférable de revenir se loger dans ma poche. J'étais d'accord avec lui. Il faisait vraiment très froid. La peau de mon visage se pétrifiait.

Nous sommes revenus au parking. Un parking totalement dépourvu de toute trace de neige. Compte tenu de son utilité pour les compagnies minières, le réseau routier de Breskal est équipé d'un système chauffant, qui ne permet ni à la neige ni au verglas de s'y installer.

Nous avions regagné la bulle et je retirais mes bottes quand Kyra a crié.

— Giraud! Quelqu'un nous surveille! Je viens de voir un visage appuyé sur le plexi!

J'avais peine à y croire. Nous étions trop loin d'une ville pour que ses habitants se promènent à pied jusqu'ici, et notre véhicule était seul garé sur le parking.

— Tu l'as imaginé.

— Non! Regarde! On voit encore une trace de buée sur le plexi!

Tristement exact, hélas. La tache embuée commençait à peine à s'effacer. Quelqu'un avait appuyé son visage sur le plexi, pour mieux regarder dans la bulle. Quelqu'un qui n'avait pu manquer de voir Rikki, présentement installé sur une couchette...

J'ai réenfilé mes bottes. En me pressant.

Je suis sorti. Kyra m'a suivi.

Le curieux s'était évanoui comme un fantôme, sans laisser de traces. Le bas-côté enneigé n'en montrait pas d'autres que les nôtres.

— C'est catastrophique, Giraud!

Une sale blague, en effet. La récompense promise pour Rikki pousserait ce curieux, quel qu'il soit, à jacasser dans les grandes oreilles de la police. Avec un peu de jugeote, il nous décrirait mieux que les précédents témoins. Les fouinards sauraient qui chercher, et où chercher...

Nous avons quitté le parking. J'ai poussé à son maximum le régulateur de vitesse.

A mon avis, nous avions un peu de temps devant nous. Notre mouchard ne pourrait rien dire à personne avant de trouver un poste de communication. De quel moyen de transport disposait-il? Une aéromoto, sans doute, ce qui expliquait son escamotage express. Ce sont de petits engins volants très maniables, mais pas très rapides. Nous pouvions espérer deux ou trois heures de répit. Je comptais les utiliser pour atteindre les collines d'Askay. Une des zones les plus pierreuses de Breskal, où règne un froid polaire. Pas question de relever des traces sur la roche gelée comme dans la neige molle de la plaine.

J'avais calculé juste. Nous avions atteint les collines sans être interceptés. Puis roulé durant des heures en pleine nature. Nous nous étions régulièrement relayés aux commandes manuelles. Conduite fatigante, qui obligeait à une constante tension, en raison d'un terrain gelé et cahoteux.

A l'aube, nous avons fait halte dans une

étroite vallée scintillante de gel. Nous avions besoin d'un moment de détente.

Nous avons mangé. Tablettes d'aliments concentrés. Elles nourrissent, mais ne sont guère satisfaisantes pour le gourmet. Rikki a pris sa part, la valeur d'une miette. Nous l'avions temporairement libéré de sa prison. Si la police devait nous rejoindre dans ce désert gelé, nous l'entendrions arriver de loin.

Le jour s'était levé. Un jour boueux. Le petit soleil breskien s'était tapi dans les nuages. Planté sur une arête, un baddur se découpait sur le ciel foncé. Une gaine de gel habillait ses branches contournées.

Je me demandais si j'allais ou non proposer à Kyra un petit intermède amoureux. Ma belle compagne m'acceptait de temps à autre, mais uniquement si elle se sentait en bonnes dispositions. Sinon, j'avais droit à un « non » aussi solide que de la roche breskienne. Le plus souvent, du reste, c'était elle qui prenait l'initiative de nos rapprochements. Ce qui m'agaçait quelque peu...

Rikki devait avoir de meilleures oreilles que les miennes. Il a chanté une musique d'alarme avant que j'entende un ronronnement lointain. Une navette, qui approchait.

J'ai fait rentrer le chat dans sa cachette, aussi

vite que possible. J'étais grandement crispé.
Police, ou pas police?

La navette, que j'espérais voir poursuivre son
chemin, est descendue, hélas. Pour se poser pas
bien loin de notre caravane.

Pas question de police, quand même. Un
anonyme véhicule, sans marques distinctives. Je
me suis relaxé, mais pas complètement. Que
voulaient ces inconnus?

Sans juger utile de parler, Kyra m'a tendu un
fusil, et a pris l'autre. Sage précaution. Les
Ecumeurs existent sur Breskal comme ailleurs. Il
arrive que des touristes en expédition de chasse
se fassent rançonner.

Deux personnes engoncées dans des combinaisons chauffantes sont sorties de la navette.
L'épaisseur de leur vêtement les rendait inidenti-
fiables.

Des Ecumeurs, ou des touristes?

A première vue, ils n'étaient pas armés, mais
une combinaison chauffante ne manque pas de
poches, et un brûleur tient peu de place...

Nos visiteurs se sont approchés, à pas pai-
sibles. Le visage un peu vert du plus petit des
deux le classait natif de Jassar. Les nouveaux
mondes habités par l'homme l'ont parfois modifié génétiquement. Dans la Galaxie, bon nombre
d'humains s'écartent de la norme. L'homme de

Jassar avait la peau verdâtre et squameuse des siens et leurs yeux hypertrophiés. Il ne possédait ni cils ni sourcils, et je savais que, sous le capuchon, son crâne devait être totalement chauve.

Son compagnon souffrait, au contraire, d'une excessive prolifération du système pileux. Je n'avais jamais rien vu de plus velu. Le visage aux yeux sombres était envahi d'une surabondance de pelage noir. Carrure de plantigrade, assortie d'une démarche dandinante.

Peau Verte a frappé à notre porte. Il souriait avec affabilité. Ours Velu était planté près de lui comme un monolithe.

Rikki a gazouillé, sous le plancher. Pas fort, mais sur un ton pressant. Je lui ai enjoint de se taire, à voix basse.

Peau Verte frappait de nouveau.

J'ai entrebâillé la porte, prudemment, en ne laissant apparaître que le canon de mon fusil.

La bombe de gaz sommeil a explosé, emplissant mes narines de son odeur acide.

Je n'ai rien pu faire d'autre que m'affaler, mes pensées emportées dans le tourbillon où je m'engloutissais.

CHAPITRE VIII

Je me suis réveillé sur une sensation de malaise.

J'étais seul. La navette avait disparu. La caravane aussi, et les êtres humains...

Et j'étais solidement ligoté au tronc d'un baddur.

Avant de m'attacher pour m'abandonner là, quelqu'un avait pris la peine de m'équiper contre le froid. J'étais botté, ganté, la tête recouverte de mon capuchon. Ma combinaison chauffante fonctionnait. Extrêmement gentil.

A réflexion, peut-être pas si gentil que ça. La pile productrice de chaleur ne possédait qu'une autonomie relative. De cinq heures environ.

Avant de commencer à geler vif, j'aurais tout le temps de me faire des cheveux blancs.

J'ai tiré sur mes liens, furieusement. Perte de temps. Le travail d'immobilisation avait été bien fait.

Au reste, réussir à me libérer ne m'aurait pas sauvé. Pour rejoindre à pied un lieu civilisé, il me faudrait beaucoup plus de cinq heures...

J'ai maudit copieusement Peau Verte et Ours Velu. Des Ecumeurs, et de belles âmes. Ils auraient pu se satisfaire de me tuer sans m'infliger le supplice de l'attente.

Et Kyra? Sa beauté lui donnerait quelques chances de survivre.

Rikki, lui, était condamné. La cage, et la mort... A un moment quelconque, les Affreux le dénicheraient sous le faux plancher. Ils avaient pris la caravane, et je l'imaginais fort bien remise aux soins d'un bon mécanicien, pour être maquillée avant la revente.

Mais j'avais mes propres soucis. De gros soucis.

Une situation de condamné à mort n'est guère plaisante. Ni facile à accepter.

Le temps s'étirait. Très lentement. Des espoirs chimériques me traversaient. « Quelqu'un passera peut-être... des chasseurs... la police, au besoin... n'importe qui... tu n'es pas bâillonné... tu pourras crier... »

J'ai fait des tentatives d'appel. Des cris dans le désert. Non seulement inutiles, mais peut-être dangereux. Je me suis tu. Le bruit que je faisais pourrait alerter autre chose qu'un peu probable

passant. Un joli prédateur affamé, par
exemple... A choisir entre les deux, je préférais
encore mourir gelé plutôt que dévoré.

Malgré ma combinaison, je n'avais pas très
chaud. Elles sont conçues pour protéger du froid
des gens qui se remuent. Pas des gens immo-
biles, attachés à un arbre.

J'ai commencé à tirer sur mes liens, régulièrement. Traction, repos, traction, repos, traction,
repos... Je n'espérais pas la liberté, mais la tâche
avait le mérite de me faire bouger. Pour éviter
d'avoir le visage gelé avant l'heure, je faisais des
grimaces. Ma respiration s'échappait en bouffées blanches.

Combien de temps depuis que je m'occu-
pais ainsi, à tirer sur mes liens, et à tortiller les
muscles de ma face comme un clown hystéri-
que? Je ne le savais pas. Le ciel très nuageux ne
me renseignait pas sur la progression du jour. Et
je ne suis pas de ceux qui ont un sens précis du
temps. Où en était ma pile? Proche de sa fin, ou
non? Je n'en avais pas la moindre idée. Mais
l'angoisse et l'attente étiraient probablement les
secondes pour moi...

Je faisais du calcul mental, je me récitais des
poèmes, je me remémorais des livres lus autrefois... N'importe quoi, pour détourner mes

pensées de cette mort qui approchait tout
doucement... Pas facile. L'angoisse revenait, par
vagues submergeantes. Je contenais des envies
de hurler, comme un chien à la lune.

Malgré mon travail régulier, mes cordes ne se
relâchaient pas. Et ne se relâcheraient jamais.
De la fibre d'Esmer, aussi résistante que du
métal.

La guivre est apparue dans le ciel. Une tache
encore lointaine, mais les vastes ailes de la bête
ne me permettaient pas de la confondre avec
un véhicule volant.

Je me suis statufié. Je ne remuais plus un cil.
J'osais à peine respirer. La tueuse ne m'avait pas
encore repéré.

Elle planait, très haut, les ailes étalées. La
mue hivernale avait décoloré sa peau écailleuse.
Du vert sombre, la guivre était passée à un blanc
verdâtre. Ses ocelles dorées n'avaient plus
qu'une teinte de citron pâle.

Une guivre est un compromis entre l'oiseau et
le reptile. Des os creux très légers, une queue
triangulaire, des ailes immenses, et un long bec-
gueule tout hérissé de crocs. Les serres cornées
sont assez grandes pour prendre un homme dans
leur étreinte.

Je contenais, tant bien que mal, une délirante

panique. J'étais condamné à mort, et je le savais, mais il y a différentes façons de mourir... La guivre me terrorisait. Compte tenu de mes liens, elle ne pourrait pas m'emporter dans ses serres. Mais elle ne renoncerait pas non plus à manger.

Et elle m'arracherait à l'arbre, morceau par morceau.

Elle ne m'avait pas encore repéré. Elle planait en cercles, cherchant une proie. Les guivres chassent en se fiant à leur vision. J'étais collé au tronc du baddur. Peut-être ne me verrait-elle pas...

Sans l'ombre d'un doute, hélas, les cercles se rétrécissaient, et j'en étais le centre.

Je devenais fou. J'ai grincé des dents, en tirant sur mes liens dans un effort à me rompre les veines.

La guivre s'est immobilisée à la verticale de mon arbre. Les ailes énormes vibraient.

Quand les ailes se sont brusquement repliées, j'ai fermé les yeux. Je ne voulais pas voir de près le bec-gueule.

L'absolu de la terreur m'a empêché d'entendre l'impact mou du corps sur les rochers.

Quand j'ai rouvert les yeux, la guivre était morte. Une aile étalée touchait mes pieds. Le bec-gueule s'était brisé sur la roche gelée. Les yeux ronds, couleur de cuivre, se vitrifiaient.

Je restais stupide, incapable de raisonner. Le soulagement m'assommait. J'étais mou, vidé.

Je n'ai commencé à comprendre qu'en voyant surgir trois silhouettes de derrière une barrière rocheuse.

Peau Verte et Ours Velu, qui encadraient Kyra. Peau Verte avait un brûleur en main. Une buée chaude s'échappait du canon de l'arme.

Pas bien difficile de réaliser que je venais de vivre une séquence programmée. Pour une raison encore inconnue, Peau Verte et Ours Velu s'étaient cachés à proximité. Ils voulaient que je crève de trouille, mais pas que je trépasse. Sans la guivre, ils auraient attendu la fin de ma pile, pour se manifester à la dernière seconde, juste à temps.

Kyra avait le visage tuméfié, marbré de coups. Ses mains dans son dos devaient être attachées. Une corde lâche unissait aussi ses chevilles, en lui laissant tout juste la possibilité de marcher. Sous des paupières enflées, un fil intense de regard brun doré apparaissait.

Kyra essayait de me faire passer un message. Lequel?

Peau Verte m'a souri. Toute la séduction du serpent à sonnette bien né.

— Alors, l'ami? La guivre t'a réchauffé?

Remarque, on peut te laisser là jusqu'à ce que tu te refroidisses...

Je n'ai pas répondu. Peau Verte avait une proposition à faire. Il essayait seulement de me rendre un peu plus malléable. J'attendrais qu'il se décide à parler. Quand il s'agit de marchandage, je m'y connais aussi.

Kyra est intervenue. Sa voix aiguë et précipitée ne lui ressemblait pas du tout.

— J'ai passé un marché avec eux, Giraud. Tu les guides jusqu'aux clares. Nous aurons notre part, et ils nous laisseront Rikki. Accepte, je t'en prie... Ils m'ont battue...

Jolie petite comédie de femme effrayée. Juste dans la note. Ni trop, ni trop peu. Je commençais à très bien piger. Kyra avait mémorisé comme moi, sous casque hypnotique, les plans de l'oncle. Mais je la voyais très bien prétendant que j'étais seul à connaître la bonne voie... Elle avait joué de bonnes cartes, et sauvé ma vie. Avec celle de Rikki. La fortune en perspective rendait négligeable la prime promise pour le chat. Et moi, j'étais devenu quelqu'un de très intéressant.

D'où cette séquence de mort lente, destinée à me conditionner.

Peau Verte, le chef, d'évidence, se classait aussi petit malin.

J'ai commencé à marchander. Je voulais bien les guider, mais en échange d'une part plus grosse sur les clares. Peau Verte est entré dans le jeu. Comédie de part et d'autre. Lui n'avait d'autre intention que de se faire conduire au but. Ensuite, il me tuerait. Moi, je voulais lui laisser croire que j'étais assez naïf pour ne pas l'avoir compris.

La Jungle de Pierre était encore très lointaine. Avant que nous n'y atteignions, il se passerait du temps. Pour le moment, je n'espérais rien de plus.

Kyra se taisait, le visage inexpressif.

Ours Velu se taisait aussi. Un exécutant, qui ne ferait jamais mieux qu'obéir aux ordres.

Peau Verte restait sur ses positions. La même part pour tous. Il m'a fait remarquer qu'il était bien bon. Il pouvait décider de ne rien me donner du tout, et me travailler jusqu'à ce que je devienne coopératif.

J'ai fait confiance à Kyra pour n'avoir pas oublié les détails. Et j'ai rappelé à Peau Verte que mon enseignement hypnotique s'assortissait d'un bloquage mental. Donc, pas question pour lui de jouer les inquisiteurs.

Gros mensonge, mais Kyra avait bien joué cet atout-là quand même. Peau Verte a fait mine de

se rendre. D'accord, j'aurais un quart de plus
sur les clares.

J'ai feint de me rendre aussi. Jusque-là, je
m'étais entêté à réclamer un tiers.

Mais nous n'en étions pas au *copains comme
cochons*. Pour le moment, Kyra et moi resterions
attachés. Jusqu'à ce que Peau Verte sache s'il
pouvait ou non nous faire confiance. Prudent, le
cher homme.

Ours Velu a commencé par libérer mes
jambes. Pour les entraver à nouveau d'une corde
lâche, comme celles de Kyra.

Je m'interrogeais sur la possibilité de
l'étendre, quand il libérerait mes mains. Kyra
était à bonne portée de Peau Verte.

J'ai regardé ma compagne. J'interrogeais
mentalement.

Elle a répondu en battant des paupières. Un
infime mouvement de tête vers la gauche a
confirmé. D'autres personnes devaient être aux
aguets pas loin. Pas question d'action immédiate.
Patience, patience...

Durant qu'Ours Velu libérait puis rattachait
mes mains, Peau Verte a commencé à bavarder.
Ce salaud squameux se classait *vraiment* petit
malin. Il nous avait téléguidés, la charogne!

— Je faisais un tour de reconnaissance,
quand j'ai eu la veine d'apercevoir ce foutu chat.

Vous étiez deux, et vous aviez des fusils. Moi, j'étais seul. J'avais oublié de prendre une bombe sommeil... J'ai eu l'idée de vous faire peur, en me montrant une seconde, pour vous pousser à quitter la route. Où seriez-vous allés, en craignant d'avoir les flics au cul, sinon dans les collines d'Askay? La roche ne garde pas les traces comme la neige. Il ne me restait plus qu'à vous rejoindre avec une navette...

Que l'Hyper distorde ce macaque astucieux! Il détaillait sa ruse, au maximum de l'autosatisfaction. Je l'aurais rétamé avec délices.

— C'était vraiment mon jour de veine! J'espérais seulement attraper ce foutu chat, pour avoir la récompense, et voilà que cette mignonne me propose une affaire beaucoup plus intéressante...

Les yeux hypertrophiés du Jassarien luisaient de joie pure. Des yeux verdâtres, troubles comme une eau croupie.

Ours Velu avait la mine béate. Tout le monde était très content. Moi aussi. Ma condamnation à mort s'était éloignée. Avant qu'elle ne redevienne d'actualité, je comptais bien avoir mon mot à dire...

J'ai sorti mon plus beau sourire affable.

— Bah! Il y aura des clares pour tous. Kyra a bien fait de t'en parler.

La coupable absoute a gémi, sur un ton d'excuse :

— Ils allaient te tuer, Giraud...

Ça, je n'en doutais pas.

Ours Velu avait solidement joint mes poignets dans mon dos. Il m'a poussé. Une bourrade gentille, mais j'ai trébuché. Ce doux mastodonte ne connaissait pas sa force.

— En route! a ordonné Peau Verte, en agitant son brûleur.

La navette avait été dissimulée derrière une masse rocheuse. Avec un homme armé en bonne position de guet. Un flandrin maigre, assez âgé. Sa chevelure blanchissait. Il lui manquait une bonne demi-oreille. La pratique des greffes a rendu fort rare ce genre de mutilation.

Notre caravane n'était pas là. Un autre membre de l'équipe avait dû la conduire vers un repaire quelconque. Les Ecumeurs se groupent volontiers. Peau Verte disposait probablement d'une belle troupe.

Le Jassarien a confirmé ma supposition. En conseillant à tous un prudent silence à propos des clares.

— Inutile de jacasser. Moins nous serons dans la combine, et plus les parts seront grosses. Je choisirai moi-même ceux qui nous accompa-

gneront. En attendant, bouclez-la! C'est bien
compris?

Ours Velu et Oreille Coupée ont acquiescé
dévotement. J'en ai fait autant, et Kyra aussi.
La consigne du silence nous convenait très bien.
En ce qui nous concernait, moins il y aurait
d'Ecumeurs dans le coup, plus il serait simple de
nous débarrasser des gêneurs. Nous ne souhai-
tions vraiment pas avoir tout Breskal sur le dos.

CHAPITRE IX

Kyra était passée du stade de prisonnière à celui de petite amie du chef. Une petite amie relativement choyée, compte tenu des circonstances. Elle avait réussi à obtenir non seulement sa libération, mais aussi la mienne. Plus de liens. Et Peau Verte interdisait à sa bande de toucher à la beauté. Il la voulait pour lui tout seul, ce vilain égoïste.

Le Jassarien tenait ses hommes bien en main. Ses femmes aussi. Cinq nénettes, parmi la douzaine de mâles. Des filles encore jeunes, plus ou moins jolies, et plus ou moins fraîches. Kyra l'emportait aisément sur le lot. Par une beauté exceptionnelle, jointe à l'attrait de la nouveauté.

Peau Verte protégeait aussi Rikki, qui circulait en liberté. Le chat était tabou. Défense absolue de l'embêter. Aucune bonté d'âme là-dedans. Simplement, Peau Verte n'avait pas renoncé à la prime de 5 000 CD. Il n'y a pas de petits bénéfices. Tout comme nous, le chat était en sursis.

La bande avait ses quartiers dans un village abandonné, plus ou moins en ruine, qui devait dater des débuts de la colonisation. Sur Breskal, ces villages fantômes ne manquent pas. Constructions érigées en hâte, par des prospecteurs enthousiastes, puis délaissées pour cause de rentabilité insuffisante du terrain. Avant l'implantation des compagnies minières, les colons breskiens avaient connu les lois du hasard. Tantôt décrochant un gros lot, tantôt crevant de misère en fouillant un sol ingrat.

Les conditions de confort se classaient ultra-rudimentaires. Froid omniprésent. Un générateur de chaleur agonisant luttait contre le gel. Sans guère de succès.

J'avais été libéré de mes entraves, mais nous n'en étions pas à la grande confiance. Peau Verte m'avait adjoint un frère jumeau. Ours Velu veillait sur mes pas à chaque seconde. Il m'accompagnait absolument partout. Pas question de m'isoler, même pas pour des questions d'évacuation.

Kyra n'était guère plus libre. Ou Peau Verte la gardait sous son aile, ou il lui procurait un ange gardien : Méryl. Une grande brune, un tantinet lesbienne sur les bords.

Malgré quelques discrètes tentatives, je n'avais pas pu discuter avec Kyra d'un plan d'action futur. Rien à tenter pour le moment, de toute façon. Trop de monde à éliminer, et des possibilités d'évasion inexistantes. Nous attendions.

Le départ se préparait. Rassemblement des provisions et du matériel. Peau Verte avait parlé vaguement à sa bande d'une recherche de minerai. Rien de passionnant.

En sus de moi, Kyra et Rikki, l'expédition comprendrait Peau Verte, qui s'appelait Grag; Lasly, un jeune garçon très beau qui se classait giton occasionnel du chef; Méryl; Ours Velu, prénom Ivrar; et Oreille Coupée, prénom Pietro.

Nous avons quitté le repaire en navette, par un beau matin froid. Méfiant, ce bon Grag. Kyra et moi étions de nouveau entravés. Par des menottes, qui unissaient nos mains. Devant, et non dans le dos. Très gentil. D'autant plus qu'une certaine longueur de chaîne nous permettait une mobilité relative.

Ours Velu me couvait. Méryl couvait Kyra. Grag, Lasly et Pietro nous surveillaient moins, mais ils restaient sur leurs gardes. Beaucoup de monde à prendre par surprise. Mais tout est question d'occasion...

Kyra se taisait, paupières baissées. Sa bouche enflée et ses joues marbrées révélaient qu'elle avait dû, à un moment ou un autre, exaspérer son maître. Sa Majesté Peau Squameuse avait le caractère épineux.

Je n'étais pas très frais non plus. J'avais payé la veille une réponse jugée impolie d'une correction maison. Une volée de coups, judicieusement placés, pendant qu'Ours Velu et Pietro me maintenaient. Peau Verte ne m'inspirait pas une sympathie délirante.

Rikki ne l'aimait pas non plus. Mon petit copain avait voulu venir à la rescousse. Ce qui lui avait valu d'être balayé par une main rageuse, et projeté contre un mur. Pendant un moment, j'avais craint que Rikki ne se relève plus.

J'ai croisé le regard de Kyra. Un regard luisant de fureur contenue, très éloquent. Un regard qui demandait : « Quand allons-nous nous débarrasser de ces salauds? »

J'ai répondu par un rassurant sourire. « Bientôt, ma chatte jolie, très bientôt. » Bientôt? Hum! Pas si sûr... Toute l'équipe était armée. Sauf nous. Et mon propre manque de patience m'ennuyait. Je craignais d'être poussé par la rage à une action gentiment suicidaire...

Rikki, perché sur mon épaule, a flûté quelques notes dans mon oreille. A mon avis, lui aussi conseillait l'attente.

CHAPITRE X

Nous avons atteint les monts Albrégon après un long voyage. Voyage pénible. Sept personnes, confinées dans une petite navette, plus l'humeur de Sa Majesté l'Empereur Grag. Un dictateur-né, le cher homme. Du genre qui n'imagine même pas que ses sujets puissent contester son autorité. Je supportais très mal Peau Verte. Kyra, contrainte à une dévotion d'esclave femelle, l'endurait encore moins bien que moi.

Ivrar, Pietro et Lasly se comportaient en chiens couchants, définitivement matés. Méryl était aussi très soumise, du moins en apparence. A l'occasion, une lueur bizarre passait dans son regard bleu sombre. Révolte intérieure? Je n'en étais pas certain.

Par contre, je pouvais jurer qu'elle désirait Kyra, et avec passion. Un besoin intense, qui la poussait à la toucher, à lui sourire, à lui parler d'une voix qui se serait voulue sèche, et qui fondait de tendresse. Je ne pouvais dire si Grag s'apercevait de ce manège. Mais il était assez retors pour l'observer en s'amusant, jusqu'au moment où il jugerait bon d'y mettre fin.

Méryl avait pour tâche de calmer les appétits mâles. Manifestement, elle n'avait été adjointe à l'expédition que dans ce but. Elle ne manquait pas de travail. Surtout avec Ivrar. En ce domaine, le mastodonte semblait doué d'une fringale insatiable.

Dans un moment de bonne humeur, Grag m'avait signalé que je pouvais, moi aussi, prendre ma part du festin. A condition, bien sûr, que je n'oublie pas d'être sage. Sinon, la faveur me serait retirée.

Je n'avais pas profité de l'occasion. Méryl n'était pas laide. Une grande brune, un peu hommasse. Large visage, nez busqué, et de remarquables prunelles, d'un bleu presque noir. Mais il se trouve que j'apprécie l'amour avec une femme coopérative. J'avais assisté à suffisamment de séquences bêtes à deux dos entre Méryl et ses partenaires pour savoir qu'elle n'y prenait pas le moindre plaisir.

J'avais assisté, aussi, aux amours Grag-Kyra, parfois agrémentés par une participation active de Lasly. Jouer les voyeurs dans ces séances très

cinéma porno ne m'emballait pas. Kyra y avait
tout du mannequin, que l'on tourne et retourne
sans qu'il proteste, mais aussi sans qu'il s'anime.

L'entrée de l'univers souterrain béait sur du
noir. Un trou sombre, étroit, aux bords en dents
de scie. Une gueule, ouverte pour les impru-
dents. Je devais avoir le trac. La carte relevée
par l'oncle indiquait bon nombre de points
dangereux, mais sans les expliquer. Le bonhomme s'était contenté de les signaler en dessi-
nant une symbolique tête de mort.

Nous nous étions équipés pour le grand
départ. Combinaisons chauffantes, lampes frontales, et sacs. Je trouvais le mien passablement
lourd.

Mes mains étaient toujours enchaînées.
Chaque fois qu'une nécessité rendait ma libération provisoire impérative, Ours Velu se plantait
derrière moi, pour braquer son brûleur sur mon
dos. Grag ne devait pas se faire tellement
d'illusions sur ma docilité apparente.

Mais Kyra avait été dispensée de la chaîne.
Peau Verte la sous-estimait. Il ne la croyait pas
dangereuse. Il se trompait. Je savais Kyra
parfaitement capable de neutraliser même Ours
Velu, à condition qu'elle puisse le gagner de
vitesse. Mais la partie n'était pas jouée pour

autant. Nous étions deux, contre cinq personnes armées. Les chances demeuraient inégales.

Dans l'espoir de les équilibrer au moins un peu, j'ai choisi, dès le premier croisement, de prendre une mauvaise voie. Une voie marquée par l'oncle d'une tête de mort.

Les yeux de Kyra ont brillé d'une fugitive lueur. Elle avait mémorisé, aussi bien que moi, la carte de son oncle. Elle connaissait cette possibilité de danger. Elle resterait sur ses gardes, et ne raterait pas la chance si elle se présentait. Je pouvais compter sur elle pour agir au moment voulu, comme j'avais compté sur elle dans l'Arène.

Nous nous sommes engagés dans un tunnel gris-bleu, zébré de failles et d'arêtes. Nos lampes tiraient de la pierre des luisances d'argent.

Je guidais l'expédition, et j'étais en tête. Ivrar se collait à moi, fidèle à son rôle de jumeau. Grag suivait, avec Kyra. Puis Méryl et Lasly. Pietro s'était placé à l'arrière garde.

Rikki logeait dans ma poche, en raison du froid. Il ne bougeait pas assez pour que je sente sa présence à travers l'épaisseur de mes vêtements.

Le tunnel descendait, en pente relativement douce. Décor gris-bleu, pailleté d'argent. Un sol très inégal ralentissait notre progression. Pas question de poser les pieds au hasard, sans surveiller le terrain.

Je guettais le danger annoncé par l'oncle. Avais-je raison de croire qu'il me donnerait une chance sur l'ennemi? Possible que oui, possible que non. Je ne connaissais pas la nature de ce danger. Et je tenais la tête du cortège...

Trois heures écoulées, peut-être, à suivre ce tunnel au décor immuable. Je sentais peser sur moi le poids de la roche. La tension nerveuse causée par un qui-vive perpétuel m'épuisait.

Kyra devait en souffrir aussi. Elle se taisait, sans participer à la conversation des autres, qui bavardaient entre eux. Aux questions directes de Grag, elle répondait par des monosyllabes.

Lasly s'est tordu le pied sur une bosse du terrain. Il a essayé d'en faire toute une histoire. Ce jeune giton au regard velouté ne devait pas avoir beaucoup plus de seize ans. Corps gracile, visage d'une pureté angélique. Des yeux brun-roux bordés de cils touffus, et une masse de boucles noires. Il pleurnichait très volontiers.

Grag l'a fait taire d'une phrase menaçante.

Le danger que j'attendais a eu la mauvaise idée de s'annoncer d'avance. Par l'odeur. Une puanteur sucrée, écœurante, qui s'exhalait en vagues épaisses.

Ivrar a crié :

— Des lézards de roche!

Evidence. La poisseuse odeur reptilienne ne pouvait tromper personne. Quelque part à proximité, il y avait des lézards. Une quantité de lézards. Et le danger annoncé n'en était pas un en cette saison. Durant les grands froids, les lézards hibernent. Ils devaient dormir, leurs corps cuirassés aplatis sur le roc, enchevêtrés les uns dans les autres. Notre arrivée les dérangerait un peu, mais pas assez pour les rendre agressifs.

Un lézard de roche ressemble assez à un crocodile. Un crocodile à crête, barbouillé de peinture orangée. Sous les coulures orange, le vert sombre d'une cuirasse cloutée apparaît. Les courtes pattes torses sont très agiles. Mais pas durant la période d'hibernation. J'avais raté mon coup.

Grag a ordonné la halte, et a envoyé Pietro en reconnaissance.

Ivrar me surveillait, la mine méfiante. Le regard moisi de Peau Verte était franchement venimeux. Je prévoyais de gros ennuis.

Pietro revenait. Il a fait son rapport :

— Ça débouche dans une caverne bourrée de lézards qui roupillent. Mais c'est un cul-de-sac. Il n'y a pas d'autre passage.

Je voyais monter la rage dans les yeux

hypertrophiés de Grag. Ses narines squameuses se pinçaient.

Il a demandé, avec une douceur vénéneuse :

— Explique un peu ça, Giraud, tu veux? Un cul-de-sac, et farci de lézards. Qu'est-ce que tu mijotais, au juste, en nous amenant là?

Que répondre? Que je m'étais trompé? Foutaises. Un enseignement hypnotique ne permet pas ce genre d'erreur. Peau Verte le savait aussi bien que moi.

— Tu vas me payer ça, Giraud! Je commence à me demander si tu ne m'as pas baratiné en long et en large. Tout comme Kyra! Quelques heures en compagnie des capteurs d'eau vont vous rendre plus dignes de foi. Je serais curieux de savoir si vous maintiendrez ensuite la même version!

Une jolie petite panique se logeait dans mes tripes. Très jolie. Un capteur d'eau prend le liquide où il se trouve. Pour éviter la déshydratation, mieux vaut le placer à bonne distance des corps humains avant de le mettre en marche.

A proximité des appareils en activité, Kyra et moi en arriverions à délirer de soif...

Grag souriait. Un sourire féroce qui tordait sa lèvre supérieure sur ses dents.

— En attendant, je vais toujours prendre un acompte. Ivrar, tiens-le!

Ours Velu a tenté de me saisir par les coudes. Le volume de mon sac le gênait.

J'ai logé mon talon entre ses cuisses, avec précision. Il a crié aigu.

Grag sortait son brûleur.

J'ai cogné sur son poignet. Mes menottes me gênaient terriblement. Rikki a jailli de ma poche, pour atterrir sur le visage à peau squameuse.

J'ai vaguement entrevu, à l'arrière-plan, Kyra qui frappait Pietro.

Grag reculait en gémissant, les mains sur ses yeux.

Je croyais Ours Velu provisoirement éliminé, mais il est revenu à l'attaque. Par-derrière. Un coup sur le crâne m'a fait voir trente-six constellations.

Un brûleur siffle, quelque part. La vague de chaleur me frôle la tête.

Grag tâtonnait sur le sol, en cherchant son arme. Ses paupières saignaient. Je ne voyais plus Rikki.

J'ai foncé pour cueillir Grag sous le menton. D'un coup de pied magnifique. Résultat disproportionné. Le crâne vert, emboîté dans les croisillons de la lampe frontale, s'est ouvert comme un fruit trop mûr. Je n'avais pas le temps de chercher à comprendre. J'ai récupéré le brûleur de Grag, aussi vite que possible.

Méryl me faisait face, une arme fumante à la main.

Kyra a crié :

— Ne tire pas, Giraud! Elle est avec nous.

J'ai commencé à réaliser que nous avions eu une alliée. Très efficace. Ivrar, Grag et Pietro étaient raides morts, tous les trois d'une même décharge en plein crâne.

Restait Lasly. Mais il ne menaçait pas. Il se tassait contre la muraille de roc, affolé. Son brûleur était toujours à sa ceinture.

Les yeux brun-roux ont ruisselé de larmes. Lasly est tombé à genoux, en sanglotant.

— Non! Je t'en supplie... Je ferai tout ce que tu voudras... Je t'en supplie...

Comment tirer sur ça? Je ne mange pas les petits enfants. Mais une petite vermine peut être aussi dangereuse qu'une grosse. Et la pitié coûte parfois cher... J'hésitais.

Kyra a pris le brûleur du garçon sans qu'il fasse un seul geste défensif. Il sanglotait, la tête dans ses mains, replié sur lui-même.

— Pas la peine de le tuer, Giraud, a dit Kyra. Ce n'est qu'un gamin froussard.

Bah! Après tout. Ce n'était qu'un gosse, en

effet. Un gosse peureux. On verrait bien la suite...

Kyra a fouillé les poches de Grag, pour trouver la clé de mes menottes. Elle m'a libéré.

Méryl la regardait, intensément.

En se retournant, Kyra a rencontré ce regard, qui exprimait plus que tout un lot de phrases.

— Merci, Méryl.

— Je haïssais Grag. Mais je l'ai fait pour toi. Uniquement pour toi! Et je te demanderai ma récompense.

La voix de Méryl était basse, contrôlée, mais la violence des sentiments affleurait.

Kyra a souri.

— Je paye toujours mes dettes, Méryl.

Lasly, toujours agenouillé, reniflait, en frottant ses yeux. Je l'ai relevé d'une secousse sèche.

— Cesse de pleurnicher! Personne ne va te tuer. Mais tâche d'être bien sage, sinon!

Que l'Hyper me distorde! Le gamin s'est précipité sur ma main, pour l'embrasser avec ferveur. Je me suis arraché férocement à l'étreinte gluante.

— Pas de ça! Tiens-toi convenablement, distorsion de merde!

— Je ferai tout ce que tu voudras, Giraud.

Eh oui! Y compris me prêter son joli petit

corps androgyne si j'en avais envie. Pas le cas. Mes goûts sont cent pour cent hétéros.

Ma lampe frontale ne marchait plus. En s'amortissant sur son mécanisme, le poing d'Ivrar l'avait faussée. Une chance pour moi. J'aurais pu avoir à me plaindre de plus qu'un mal de crâne.

J'ai annexé la lampe de Pietro, qui fonctionnait encore. Mais il m'a fallu la nettoyer un peu.

Lasly a hurlé.

Un lézard apparaissait, au tournant du tunnel. Un lézard apathique, qui se traînait comme un jouet mécanique en bout de course. Les pattes torses ramaient paresseusement. De fines paupières translucides battaient sur des yeux extrêmement verts. Les traînées oranges de la cuirasse luisaient.

Méryl a éliminé l'importun d'une décharge, juste dans la prunelle. Elle tirait bien. Les yeux d'un lézard de roche s'enfoncent sous un auvent corné.

— Il faut partir, ai-je dit.

Il fallait partir, en effet. Même engourdis par le sommeil, les lézards deviendraient dangereux s'ils se présentaient en grand nombre.

Rikki a surgi de nulle part, pour venir se reloger dans ma poche. Je l'ai gratifié d'une caresse, et il a chantonné en réponse.

Kyra, Lasly et moi avons commencé à répartir différemment la charge des sacs. Il convenait de n'abandonner que le superflu. Nous nous hâtions, Méryl surveillait les lézards. L'odeur de la mort allait les réveiller tous bientôt.

Nous leur avons laissé les cadavres. Ils se chargeraient des funérailles.

CHAPITRE XI

Encore un couloir. Nous le suivions depuis trois jours. Sa pente très accentuée nous obligeait à une progression prudente. Les heures de sommeil posaient des problèmes. La surface inclinée où nous nous calions tant bien que mal offrait un inconfort maximum. Et la marche était fatigante.

Lasly geignait sans cesse. Il avait froid, il avait trop chaud, il souffrait de crampes et de courbatures, il avait sommeil, son sac était trop lourd, il avait faim ou soif, il n'en pouvait plus... Une plaie pleurnicharde. L'exaspération m'avait poussé à le secouer un bon coup. De quoi lui disjoindre les vertèbres. Depuis, il modérait un peu ses geignantes. Et il suffisait que j'aboie pour qu'il se taise.

Depuis que nous avions abordé ce nouveau couloir, nos combinaisons chauffantes étaient réglées assez bas, sauf durant le sommeil. Aux heures de marche, la dépense musculaire exigée par la pente très raide suffisait à nous tenir chaud.

J'ai mis un moment à réaliser que la température s'élevait. Rikki a compris plus vite. Il a surgi de ma poche pour se percher sur mon épaule.

Couper complètement le chauffage n'a pas suffi. Nous avons dû retirer bientôt nos combinaisons. Elles devenaient franchement gênantes.

La gymnastique effectuée ensuite pour descendre dans la cheminée indiquée par l'oncle ne nous a pas rafraîchis. Un passage étroit, malcommode, que nous avons franchi un par un, en nous aidant d'une corde.

La cheminée aboutissait à une vaste caverne, découpée par des piliers de roche, et creusée d'une infinité de tunnels. L'oncle avait-il exploré toutes ces voies pour découvrir la bonne? Sans doute. Sur la carte, certains de ces passages avaient été marqués du rituel signe de mort. Un homme courageux, le tonton, et bigrement entêté. Avait-il visité seul ce monde souterrain? Si oui, je saluais bien bas. Même avec des compagnons, je ne m'y trouvais pas trop à l'aise. A l'occasion, je faisais un peu de claustrophobie.

Et je sentais le poids de la pierre peser sur mes épaules.

Nous avons décidé de faire halte dans cette caverne, pour l'étape du soir. Nous étions tous fatigués.

Superbe décor de roches bleues, traversées de traînées dorées. Des coulées de lune sur une eau sombre. Les piliers montaient vers la voûte en une succession de bourrelets plus ou moins renflés.

Nous avons installé notre campement. Gestes routiniers, déjà réglés par l'habitude. Kyra s'est chargée d'aller déposer les capteurs d'eau à bonne distance. Au réveil, ils nous permettraient de remplir les gourdes.

Nous avons mangé les sempiternelles tablettes.

Sa miette avalée, Rikki est parti en exploration. Il a escaladé un pilier, la queue en goupillon, et les oreilles battantes. Les chats de Galma ressemblent au félin terrien en ce qui concerne la curiosité. Rikki étudiait son nouveau domaine. Avec passion.

Les humains bavardaient, de tout et de rien. Notre groupe se soudait plutôt bien. Méryl et Lasly se classaient compagnons supportables, en dépit du caractère secret de la femme, et des manières frôleuses du garçon. Pas de disputes dans l'air pour le moment.

Nous avons vite opté pour le sommeil. En laissant, comme de coutume, une veilleuse allumée. Sa faible clarté luttait contre les ténèbres. Une présence amicale, dans ces entrailles de roc trop noires...

Je me suis enroulé dans ma couverture. Juste avant que je ne la referme sur moi, Rikki est arrivé comme un projectile pour s'installer sur mon estomac.

J'ai grogné :

— Un de ces jours, je vais t'aplatir comme une galette en me retournant.

Le chat a gazouillé une réponse à tonalité ironique, en me piétinant joyeusement pour chercher une position parfaitement confortable.

Ce soir-là, le premier où nous pouvions dormir sans nos combinaisons chauffantes, Kyra a payé sa dette à Méryl. Difficile d'ignorer cette étreinte passionnée. J'ai entendu Méryl gémir, d'une voix de gorge qu'elle étouffait bien mal.

Le tunnel que nous avions pris au réveil descendait aussi, mais en pente plus douce que le précédent.

Je m'absorbais dans la contemplation. Ici, la

roche bleue était veinée de rose. L'imagination faisait naître des images de la pierre. Une guivre, ailes étendues, un bouquet d'orchidées géantes, une fougère de teinte carnée, une baleine framboise, émergeant d'une vague bleue, en soufflant un panache couleur de groseille... Je rêvais sur les motifs offerts.

Les coléoptères sont apparus après un coude du tunnel. Je les ai baptisés ainsi en raison de leur forme, qui rappelait le scarabée. Une profusion de scarabées phosphorescents, d'une si intense couleur rose qu'elle blessait les yeux. Ils tapissaient la totalité du couloir, murs, sol et plafond, d'une masse brasillante. Un temps d'observation m'a appris que cette masse bougeait, imperceptiblement. Elle était agitée de remous paresseux, à peine visibles.

Je n'étais pas inquiet. Sur la carte de l'oncle, aucune tête de mort ne signalait comme dangereuse cette partie du trajet.

La curiosité nous avait tous immobilisés. Nous regardions, avidemment. Le spectacle fascinait.

Les coléoptères allaient de la taille d'un auriculaire à celle d'un pouce. Les corps dodus se hérissaient de fines aspérités lumineuses.

Je me demandais si je pouvais risquer d'en

attraper un pour mieux l'examiner quand Lasly
m'a devancé, étourdiment. Il a saisi la plus
proche bestiole entre deux doigts.

Pour la lâcher, instantanément.

— Ça m'a brûlé!

J'ai mieux compris quand les premiers coléoptères ont dégringolé du plafond, juste sur nous.
Celui qui a glissé sur mon nez, en m'égratignant
de ses aspérités, m'a causé une sensation de
brûlure acide, extrêmement mordante.

Rikki n'a chanté qu'une seule note aiguë,
avant de quitter mon épaule pour s'engloutir
dans ma poche. Une poche de pantalon plutôt
étroite, mais il s'y est tassé quand même.

Nous avions tous reculé précipitamment, pour
nous mettre hors de portée.

Méryl frottait sa joue.

— Sales bestioles! On dirait qu'elles sont en
pierre. De la pierre brûlante.

Avis partagé. La chute du coléoptère sur mon
nez avait évoqué celle d'un caillou ardent,
hérissé d'arêtes.

Lasly suçait ses doigts, en faisant une mine
d'enfant injustement puni. Il les a retirés de sa
bouche pour demander :

— La carte ne les signalait pas, Giraud?

— Non. Je suppose qu'ils ne sont pas vraiment dangereux. Gênants, sans plus. Avant de

continuer, il faudra prendre quelques précautions.

— J'espère, a dit Kyra, qu'ils n'occupent pas un territoire trop étendu. Comment ferions-nous pour dormir?

Je l'espérais aussi. En nous protégeant, nous pourrions traverser le domaine des coléoptères. Mais pas question, évidemment, d'y faire halte. L'oncle n'aurait pas omis, sans doute, de signaler le passage en cas de danger réel. Problème quand même. La carte était ancienne. Et l'oncle n'était pas revenu de sa deuxième expédition...

J'ai gardé pour moi mes inquiétudes. Danger ou non, il fallait continuer, ou renoncer aux clares... Au reste, les dangers, annoncés ceux-là, ne manquaient pas sur notre route. Les têtes de mort pontuaient la totalité du voyage...

Nous nous sommes équipés. En enfilant à nouveau nos combinaisons, et en tirant le capuchon aussi loin que possible sur nos fronts. Nous avons protégés nos visages par des foulards noués à la mode bandit masqué. Nous étions parés. Ne resterait de vulnérable qu'un peu de peau à la hauteur des yeux. Je regrettais que les lunettes ne figurent pas dans notre équipement.

J'ai rendossé mon sac, et mis mes gants.

Rikki s'est logé dans ma poche. En avant marche!

Le tunnel brasillait d'un rose incroyable. Un déferlement de clarté flamboyante. Le passage que nous suivions semblait embrasé.

Nous marchions vite, d'un pas proche de la course. Nos pieds réduisaient le tapis des coléoptères en fragments scintillants. Les insectes pierreux pleuvaient du plafond. Une averse de braises roses.

J'avais la tête baissée, et les yeux mi-clos. La luminosité était blessante.

Qu'est-ce qui nourrissait cette vie étrange? Le roc, peut-être. Des spécialistes auraient vendu leur âme pour étudier ces phénomènes roses. Les corps bombés me paraissaient totalement dépourvus de pattes. Ils se déplaçaient, pourtant...

Lasly a trébuché, et gémi :

— Ça ne finira jamais?

J'avais tendance à me poser la même question. Une marche aussi rapide fatigue. Et nous étions trop vêtus pour la température qui régnait dans le tunnel. Excès de chaleur. Je cuisais à petit feu. Le mouchoir était collé à mon visage par la sueur. Mon sac pesait le poids de Breskal.

Et mes pieds enflaient monstrueusement dans mes bottes.

Lasly m'étonnait. Compte tenu de la situation, il geignait moins qu'on n'aurait pu s'y attendre. Tant mieux pour lui. Je n'aurais pas été d'humeur à endurer des jérémiades continuelles. J'avais mes propres problèmes.

A l'occasion, une braise sournoise me touchait quand même, dans la région mal protégée des yeux. Je jurais entre mes dents. Comme les autres. Le groupe entier s'adonnait aux jurons rageurs.

Seul Rikki se taisait. Ma poche le protégeait très bien. Mais je doutais qu'il s'y trouve très à l'aise. Lui aussi devait souffrir de la chaleur.

Le territoire occupé par les coléoptères a pris fin très soudainement, sans raison compréhensible. Le tunnel qui brasillait de feu rose retournait brusquement au noir. Nous avons rallumé nos lampes. Sans grand profit. Nos yeux éblouis se réadaptaient mal.

J'ai avancé de quelques mètres, d'une démarche hésitante. J'étais plus myope qu'une taupe. J'ai arraché mes gants, et le foulard trempé qui collait à mon visage. En poussant un grand soupir de délivrance.

Rikki a jailli de ma poche, comme un bouchon éjecté par la pression. Il a chanté une musique très satisfaite.

J'étais bien content aussi.

CHAPITRE XII

Les dangers annoncés par l'oncle ne nous concernaient pas toujours. Il arrivait que les têtes de mort signalent, comme au début du voyage, des voies que nous croisions sans avoir à les suivre. Nous nous hâtions de nous en éloigner, plus soucieux d'éviter le péril que d'en connaître la cause.

Mais, cette fois, le risque à courir se présentait plus directement. Pour poursuivre la route, nous allions devoir traverser une zone signalée comme dangereuse.

Nous hésitions au seuil d'une caverne géante, tapissée d'un sable gris-bleu. Un petit lac se logeait au centre. Une cheminée naturelle, large et incroyablement haute, faisait communiquer la grotte avec l'extérieur. La distance réduisait la clarté du jour à un minuscule point de lumière. Notre voyage nous avait enfoncés très profondément sous Breskal...

Il faisait beaucoup plus froid, dans cette vaste caverne, que dans le tunnel que nous quittions. Mais, pour le moment, le danger restait invisible.

— Allons-y! ai-je dit. Restez sur vos gardes. Et passez à l'écart de ce lac. Il peut cacher un prédateur.

Je n'y croyais pas trop. L'eau noire, qui reflétait la pointe d'épingle de clarté du haut, me semblait peu profonde. Mais mieux vaut trop de prudence que pas assez.

Rikki, perché sur l'épaule de Kyra, a chantonné quelques notes sur un ton paisible. D'évidence, rien ne lui semblait effrayant ici.

Nous nous sommes mis en route, en procession. J'étais en tête, les autres marchaient sur mes traces. Marche malaisée. L'épaisse couche de sable gris-bleu ne facilitait pas notre avance.

J'ai dérapé, et fait surgir du sable où il s'enfouissait, un énorme œuf vert pâle, pétrifié par le temps.

Un œuf de guivre.

J'ai compris en même temps la nature du danger annoncé par l'oncle. Danger qui ne nous menaçait pas, en raison de la saison froide.

Les guivres ne nidifient pas. Elles pondent leurs œufs n'importe où, mais en les enfouissant sous une couche protectrice. Par sa cheminée, la caverne communiquait avec l'extérieur. Les guivres devaient trouver ce lieu désert commode pour pondre, et le sable propice à la dissimulation des œufs. En saison chaude, la grotte devait grouiller d'oiseaux-serpents peu disposés à tolérer les intrus.

Mais les guivres ne pondent pas en période de gel. Heureusement. Même avec un brûleur, je n'aurais pas du tout aimé affronter les femelles furieuses...

L'œuf circulait de main en main. Nous étions tous d'accord pour croire que le danger se trouvait là.

Supposition, mais pas certitude. J'en voulais à l'oncle de n'avoir pas mieux expliqué les périls qu'il signalait. Quelques détails nous auraient épargné les craintes non fondées.

Nous avons repris notre avance, avec prudence quand même. Et nous avons pu traverser la caverne sans problèmes. J'ai dû engueuler Lasly, qui traînait à l'arrière-garde, en grognant contre le sable.

Il a recommencé à geindre en découvrant le passage suivant : une cheminée à descendre, terriblement étroite. Ce genre d'alpinisme manquait de charme, en effet. Pas au point, tout de même, d'hésiter si longtemps au bord du trou que j'ai botté les fesses de Lasly pour qu'il se décide à descendre.

Le tunnel suivant n'a rien arrangé. Le passage, normal au début, s'est peu à peu rétréci de si belle façon que nous avons dû ramper pour continuer.

Progression interminable, sur les coudes et les genoux, en poussant devant nous nos sacs récalcitrants, qui s'accrochaient à toutes les aspérités. Un vrai délice!

Rikki fonçait en avant-garde, très à l'aise, lui, dans ce passage plus à sa taille qu'à la nôtre.

En émergeant enfin de ce boyau maudit, j'ai eu la joie de découvrir que la bonne voie suivait tout simplement le lit d'une rivière souterraine. Une rivière peu profonde, mais la vache s'étalait d'un bord à l'autre du tunnel. Que ça nous plaise ou pas, il faudrait y patauger.

Je me suis penché pour tâter l'eau. De la glace liquide!

Je maudissais copieusement le bon oncle. Le cher homme n'avait pas jugé utile de signaler que le passage pouvait être mouillé. J'ai espéré que nous n'aurions pas plus à faire que barboter dans l'eau. Sans devoir y nager...

Lasly a tâté l'eau froide du bout des doigts.

— Je n'y vais pas! Les clares, je m'en fous! Je n'y vais pas!

Kyra a demandé, avec une grande douceur :

— Tu veux retourner à la surface tout seul?

Les yeux brun-roux se sont affolés.

— Non! Bien sûr que non! Mais...

— Mais quoi? a demandé Méryl, très rogue. Tu crois qu'on va te raccompagner? Nous, on continue. Si tu ne veux pas, tu restes là, ou tu retournes, mais sans nous!

Le garçon m'a regardé d'un air suppliant. Depuis la mort de Grag, Lasly m'avait classé nouveau chef. Mais il n'avait pas réussi à comprendre que sa grâce androgyne ne me séduisait pas.

J'ai appuyé Méryl, avec toute la sécheresse voulue :

— Tu nous suis, ou tu restes seul! C'est comme ça! Et je t'avertis : j'en ai marre de tes pleurnicheries! Ou tu te conduis en adulte, ou je te traite en moutard. Et je te flanque une rossée! C'est compris?

C'était compris. Lasly a préféré se taire.

Nous avons retiré nos bottes et nos pantalons. L'enthousiasme manquait.

Hyper distordu! Que c'était pénible! J'avais de l'eau plus haut que les genoux. Mes jambes se prenaient dans un étau de glace. J'avais la peau d'une jolie teinte de bleu.

Progression lente, sur un fond lissé comme une patinoire. Pas très aisée. Mes extrémités inférieures, paralysées par le froid, manquaient nettement de souplesse.

J'essayais d'oublier mes misères en regardant les fesses de Kyra onduler devant moi. Joli cul de pouliche, sculpté, pommé, nerveux. Celui de Méryl n'était pas mal non plus. Un peu large, peut-être, plus jument. De quoi remplir les mains de l'honnête homme. Le postérieur de Lasly m'inspirait moins. Trop sec et trop étroit pour mon goût. Décidément, j'étais partial. Et injuste en mettant le garçon en compétition avec des femmes, puisque mes goûts allaient exclusivement à elles.

De toute façon, mon examen restait très détaché. Le froid montait bien trop dans mes jambes pour que j'aie mieux à offrir que des génitoires rétrécies, et un sexe ultra-flasque.

Méryl avait pris la tête du groupe. A l'occasion, elle réclamait cette place comme un privilège. Compétition, là aussi. Méryl tenait à prouver qu'elle valait bien un homme, et surtout moi. Sa passion pour Kyra la poussait à la jalousie. Bien à tort. Kyra me tenait à l'écart, fermement. Pourtant, elle ne donnait pas à

Méryl ce qu'elle me refusait. Je comprenais mal. Kyra semblait devenue totalement asexuée, ce qui ne lui ressemblait absolument pas.

Le tunnel où coulait la rivière s'était rétréci. Nous avancions en file indienne, prudemment. Mes pieds s'efforçaient d'adhérer à un sol glissant comme du verre. J'étais frigorifié.

Je souhaitais de tout cœur une plate-forme, qui nous aurait permis un temps de repos. Mais ce qu'on désire trop ne se produit jamais...

Le tunnel se présentait comme un boyau. Ses parois très polies avouaient qu'à certaines périodes, l'eau devait l'emplir totalement. Ce qui ne me réjouissait vraiment pas. Qu'un soudain adoucissement de la température se produise à la surface, et le courant grossi pourrait nous submerger... Quel temps faisait-il, dehors?

Et où étions-nous? Très très loin déjà des monts Albrégon, et du point d'entrée. L'étendue de cet univers souterrain me stupéfiait. Comment un aussi vaste monde avait-il pu rester ignoré? Peu de points de communication avec la surface, sans doute, et tous situés dans des régions désertes. Un jour où l'autre, les compagnies minières seraient alertées, et elles mettraient la patte sur cet étrange domaine. Pour ne plus le lâcher.

Je ne suis pas géologue mais, d'évidence, ce

Royaume de la Roche recelait, outre les clares, quantité de minéraux intéressants. Rentabilité plus que probable. Sans parler d'éventuelles possibilités touristiques, payantes elles aussi.

La garce de rivière se faisait plus profonde. Malignement.

J'ai eu de l'eau jusqu'à mi-cuisses, puis le liquide a grimpé vers mes hanches. J'ai noué ma chemise à ma taille, pour éviter de la mouiller. La progression sournoise du liquide gelé sur mon bas-ventre m'a fait claquer des dents.

Rikki, installé sur mon épaule, et qui restait bien sec, le veinard, a chanté quelques notes compatissantes.

Devant moi, Kyra grelottait. Entre sa chemise nouée et l'eau, ses reins avaient pris une teinte de marbre bleuté.

Les plaintes de Lasly atteignaient au sublime. Il se mourait. Rien de moins. Méryl lui a enjoint de se taire, sur un ton nettement plus réfrigérant que la rivière.

Je priais tous les dieux de la chance pour que le fond remonte. Ou pour que nous trouvions un endroit sec. Nous ne pourrions plus tenir très longtemps dans les mêmes conditions.

La chance est une garce, qu'il faut se garder de supplier. Le fond continuait à baisser. L'eau

qui escaladait ma taille m'a obligé à retirer ma
chemise, puis à hisser mon sac sur ma tête.
Comme tout le monde. Rikki, qui s'était
accroché je ne sais comment à la muraille
glissante, est revenu sur mon épaule. Le contact
de cette petite boule de poils tiède était la seule
chaleur existante dans un univers de glace.

Lasly ne geignait plus, il pleurait. A petits
bruits. Je ne le blâmais pas. Le supplice était
intolérable.

Kyra a dit, avec une gentillesse peu fréquente
chez elle :

— Courage, Lasly! Ça finira bientôt.

Mensonge charitable. Qui refusait de devenir
vérité. Ça ne finissait pas. Je ne sentais plus mes
jambes. Elles se mouvaient comme celles d'un
robot. J'avançais. Comme les autres. Nous ne
parlions plus. Le froid nous pétrifiait.

— Des plates-formes! a hurlé Méryl.

Elle découvrait le Graal. Nous aussi.

Il y en avait deux. Deux tables de pierre,
distantes l'une de l'autre d'une quinzaine de
mètres, qui surplombaient l'eau. Notre disposition en ligne a placé Méryl et Lasly sur la
première, et Kyra et moi sur la suivante. Méryl
n'était sûrement pas enchantée, mais elle n'a pas
osé demander une répartition différente. Par
amour-propre, sans doute.

La place disponible n'était pas grande. Nos sacs installés, Kyra et moi avons trouvé à peine de quoi nous asseoir. Nous nous sommes un peu épongés, avec des foulards, avant de nous enrouler dans nos couvertures.

Rikki s'était logé plus haut, dans une anfractuosité du roc. Il devait s'y trouver bien. Il s'est roulé en boule, manifestement décidé à dormir.

Kyra et moi avons retiré nos lampes frontales, pour les éteindre. Une veilleuse les a remplacées. Sa petite lueur suffisait à écarter les ténèbres. Economiser au maximum les lampes était de règle.

La même petite clarté signalait la plate-forme de Méryl et Lasly.

J'ai crié pour leur conseiller de manger une tablette supplémentaire, et d'essayer de dormir un moment. Le piège ne nous avait pas définitivement libérés. Nous ne jouissions que d'un répit.

J'ai refoulé fermement toute idée de futur, et d'eau froide où il faudrait bien replonger tôt ou tard. Malgré la couverture, je n'arrivais pas à me réchauffer.

Kyra continuait aussi à grelotter. Je l'ai frictionnée, vigoureusement. Elle m'a rendu le même service ensuite. Peu à peu, la vie revenait dans mes jambes insensibles.

Nous avons mangé une tablette chacun. Sans boire. Pour l'heure, l'eau ne nous tentait vraiment pas.

Kyra s'appuyait contre moi. Elle a chuchoté :

— Je suis bien contente d'avoir cette occasion de te parler, Giraud. J'aurais voulu le faire depuis longtemps, mais je n'osais pas t'approcher. Méryl m'inquiète. Elle s'est prise pour moi d'une passion proprement délirante! Elle ne comprend pas ou plutôt, elle ne veut pas comprendre, que je n'ai pas fait plus que lui payer ma dette, et que je ne suis guère attirée par elle. Elle feint de croire à un grand amour partagé. Un amour de roman-feuilleton! Eternel, comme de bien se doit! J'aurais mis fin en deux mots à cette histoire idiote si nous n'étions pas engagés dans une aventure risquée. Je crains ses réactions. En plus, je crois bien qu'elle te hait!

— Elle doit être plus ou moins jalouse, je l'admets, mais tu exagères la situation. Méryl se comporte naturellement, avec moi, je n'ai pas senti de...

— Giraud, tu te trompes! Méryl est secrète, très renfermée. Elle dissimule bien ses sentiments, mais je les connais. Et je te le répète, j'ai peur.

J'ai sorti un bras de ma couverture pour enlacer Kyra.

— Aucune raison d'avoir peur. Que voudrais-tu qu'elle fasse?

— Je ne sais pas. Te tuer, peut-être, ou bien me tuer moi. Il m'arrive de penser qu'elle n'est plus tout à fait saine d'esprit...

Je ne parvenais pas à croire les inquiétudes de Kyra fondées. Que Méryl ait tendance à me jalouser, c'était l'évidence même, je l'avais bien deviné tout seul, mais pour le reste, Kyra exagérait. A une époque de mœurs libres comme la nôtre, l'amour fou n'était plus de mise. Imaginer la possibilité d'un crime passionnel atteignait à l'extravagance! Kyra fabriquait toute seule le roman-feuilleton. Ce qui ne cadrait pas avec sa nature, mais il fallait tenir compte de la tension constante à laquelle nous étions soumis. Une tension assez dure pour malmener même un caractère très ferme. Kyra ne craquait pas, mais elle imaginait trop. Excusable.

J'étais bien réchauffé, à présent. Assez réchauffé pour que le corps tentant serré contre le mien réveille le désir. J'ai glissé mes mains sous la couverture de Kyra.

Elle a chuchoté, mais sans grande conviction :

— Il ne faut pas, Giraud. Elle doit nous guetter...

Je m'en foutais pas mal! Je n'allais pas, pour ménager Méryl, rester sur ma faim. Une faim exigeante.

Mes mains insistantes ont entraîné ma partenaire. Elle a coopéré.

L'exiguïté de notre perchoir ne rendait pas les choses faciles. Mais l'appétit stimule l'ingéniosité.

Nous avons fait l'amour quand même. Avec une belle ardeur!

CHAPITRE XIII

Une cascade, à présent! Une foutue cascade! Je souhaitais à l'oncle de rôtir en enfer. Ce salaud avait signalé comme mortels des passages ne nous concernant pas, et trouvé, sans doute, parfaitement anodin celui-ci. Qui nous tourmentait au maximum et nous obligeait à courir de grands risques.

Nous étions bien secs, pourtant, et rhabillés. Nous suivions toujours la rivière, mais sur un trottoir qui la bordait opportunément. Malheureusement, le si commode trottoir finissait là. La nappe liquide qui se cassait pour plonger allait d'un bord à l'autre du tunnel. Pour descendre, il faudrait à nouveau mettre nos fesses à l'air.

Autre problème, et plus aigu que le premier. Je ne voyais aucun endroit où accrocher une corde. Pas un.

La logique voulait que je plante un piton. J'ai essayé. La roche friable s'est émiettée au premier choc.

Une dizaine de tentatives, toutes aussi vaines que la première, m'ont fait renoncer à cette idée-là. Un autre système? Lequel?

La cascade chantait. L'espace clos démultipliait le bruit d'eau fracassée, et le renvoyait en échos. Nos lampes frontales se reflétaient dans l'eau noire. Le bord où elle se cassait luisait comme une soie sombre.

Dans cette plaque à aspect vitrifié, Méryl a repéré une bosse quasi invisible.

— Regarde, Giraud! Si tu pouvais te caler sur ce renflement, tu me soutiendrais, et j'essayerais de descendre.

Solution possible. Si j'arrivais à me bloquer sur cette bosse, je pourrais soutenir Méryl. Quelque part sous la chute, un passage devait exister. L'oncle était bien descendu, lui. A une époque plus sèche, sans doute, où la cascade avait pu se réduire à un filet d'eau. Nos difficultés seraient plus grandes, mais nous passerions quand même.

Méryl et moi nous sommes déshabillés. Méryl a enveloppé sa lampe dans un sac étanche, avant de l'attacher à son cou. Bonne précaution. Son mécanisme n'aurait pas supporté un bain prolongé. J'ai gardé la mienne. Pour le moment, je n'aurais pas à me mouiller plus que les jambes. J'ai pris un rouleau de corde.

Allons-y gaiement!

Dès le premier pas, j'ai compris que je n'atteindrais pas la bosse en restant debout. Le rebord, lissé par l'eau, était nettement plus glissant que du verre savonné. Et le courant me suçait.

Je me suis mis à quatre pattes, pour avancer très très lentement. Trempette dans l'eau réfrigérante. Ma chair de poule ne s'arrangeait pas, L'eau me tirait, férocement. Je résistais de mon mieux.

La bosse, enfin! Après quelques essais, j'ai réussi à me caler à peu près bien, en position agenouillée. En me penchant sur la cascade, j'ai repéré l'amorce d'une faille, sous le déferlement de l'eau. Descente envisageable, mais le fond me paraissait bigrement loin. Et bigrement noir. Pour arriver au but, Méryl devrait se fier au toucher.

L'important était que je puisse la soutenir. Et soutenir ensuite Kyra et Lasly. Et faire passer les sacs. Moi, je descendrais le dernier. Sans aide, comme un grand garçon. A dire vrai, je me serais passé de cet honneur.

Méryl est venue me rejoindre. Nous nous

sommes encordés. A gestes très prudents. Le perchoir n'était pas très sûr.

Méryl a commencé à descendre. J'étais passablement crispé. J'espérais, sans en être certain, que mes genoux résisteraient si Méryl ratait une prise. L'eau glacée se frottait sur moi. Elle cherchait à entraîner l'obstacle. Et le froid me pétrifiait.

Kyra et Lasly se taisaient. Moi aussi. Le passage des secondes s'allongeait démesurément. La corde qui m'attachait à Méryl se déroulait régulièrement.

Méryl a hurlé pour signaler qu'elle était arrivée au but. Sa voix dominait à peine le fracas de l'eau. J'ai vu briller une lumière, très loin, au fond d'un gouffre de noirceur.

La corde s'était relâchée, et je me détendais aussi.

Kyra faisait rentrer Rikki dans un sac. Elle le refermait sur lui quand le chat a explosé en un torrent de notes frénétiques. Une musique d'alarme, mais je n'en comprenais pas la raison.

Et, soudainement, une traction sauvage sur la corde passée en travers de mon dos m'a arraché à la bosse.

J'ai plongé, la tête la première.

Chute. Tourbillons de chocs, d'eau suffocante, et de terreur.

Je n'ai pas eu conscience de toucher le fond. J'étais sonné. C'est un réflexe instinctif qui a sorti ma tête de l'eau.

Un poids très lourd s'est abattu sur mes épaules, férocement, et j'ai replongé dans le liquide.

Je me suis débattu. Toujours par réflexe. Je ne comprenais rien aux événements. Seule la nécessité de respirer me poussait à lutter.

Il m'a fallu du temps pour réaliser que le poids qui m'écrasait était un corps, et que deux mains fermées sur ma nuque cherchaient à me noyer.

Je me suis battu pour vivre. Frénétiquement.

J'étais handicapé. Ma chute m'avait endolori, et assommé. Le manque d'air m'engourdissait. L'agresseur avait l'avantage d'être dessus, et de pouvoir respirer. L'eau rendait son corps glissant, fuyant... Je ne parvenais pas à l'empoigner, et mes coups s'amortissaient dans le liquide.

Ma main droite a trouvé par hasard une masse oblongue. Je l'ai serrée et tordue, sauvagement.

La prise sur ma nuque s'était relâchée. J'ai pu sortir ma tête de l'eau. Assez longtemps pour remplir mes poumons, et reconnaître l'adversaire : Méryl.

Elle avait replongé ma tête dans l'eau, ses

mains accrochées à mes cheveux. Ses cuisses fermées sur ma taille, elle me chevauchait, en pesant sur mon dos de tout son poids. Je ne l'aurais jamais imaginée aussi lourde, et aussi musclée. Elle me terrifiait. Dans la force qu'elle déployait, je devinais la démence, qui démultipliait ses capacités.

Deux fois, j'ai réussi à sortir ma tête de l'eau, deux fois Méryl l'a replongée dans le liquide. Je ne parvenais pas à rompre l'étreinte de ses cuisses, qui serraient à me briser les côtes. Le manque d'air jouait contre moi...

Je n'en étais pas à mon premier combat. Jamais je n'aurais seulement imaginé qu'une femme pourrait me vaincre. Méryl était pourtant en train de me tuer...

C'est la rage qui m'a donné un peu d'énergie supplémentaire. « Tu ne vas pas crever comme ça, Giraud! C'est trop con! »

Pour obliger Méryl à desserrer sa prise, j'ai presque arrachés ses mollets à leurs os.

J'avais réussi à la faire basculer sous moi. Je serrais sa gorge, férocement, en lui maintenant à mon tour la tête sous l'eau.

Je respirais. L'acte avait en lui-même une énorme importance. Serrer cette chair où mes doigts s'enfonçaient aussi. J'écrasais des cartilages. Voluptueusement.

Le corps sous le mien ne se défendait plus.

Quelque part, dans le bruit de la cascade, une voix hurlait :

— Giraud! Méryl! Giraud!

J'ai eu peine à desserrer mes doigts, soudés à une chair où ils s'enfonçaient. Je me suis relevé. Le corps que j'avais maintenu sous mes genoux a glissé, en une molle ondulation. Le courant l'emportait.

J'ai laissé Méryl partir au fil de l'eau. Une morte, qui flottait, des mèches noires collées à son visage. Les yeux exorbités ne regardaient plus rien.

Distorsion! Quelle lutteuse! Elle avait été bien près de gagner...

La lampe de Méryl, posée sur une table de pierre, éclairait une grotte scintillante de paillettes d'argent. La rivière s'engouffrait dans un vaste tunnel très noir. Emporté par le courant, le corps de Méryl y a disparu.

— Giraud! Méryl!

Tout en haut, Kyra agenouillée se penchait sur la cascade.

J'ai crié pour dominer le fracas de l'eau.

— J'ai dû tuer Méryl, Kyra.

— Elle t'a fait tomber? Je m'en doutais!

— Oui, et elle a essayé de me noyer ensuite... Elle est morte.

— Tant mieux!

Oraison funèbre succincte, peu entachée de sentimentalisme.

La conversation à base de phrases hurlées a continué sur un autre thème. Nous discutions notre programme. J'ai proposé de remonter. Kyra n'était pas d'accord. Elle s'estimait parfaitement capable de faire passer Lasly, et les sacs, et de descendre ensuite sans aide. J'étais trop las pour beaucoup discuter. J'avais froid, et je me sentais vidé. Réaction nerveuse.

En priorité, j'ai réceptionné le sac qui contenait Rikki. L'enveloppe imperméable avait protégé le contenu. Le chat a sauté sur mon épaule. Il s'est frotté à ma joue, en chantant une petite musique gaie. Je lui ai gratté le crâne.

— Tu as essayé de me prévenir, hein, Rikki? Tu avais senti quelque chose?

Quelques notes. Que répondaient-elles? Le chat pouvait-il deviner certains dangers? Je me souvenais de son appel, au moment où Peau Verte s'était présenté...

Kyra me hélait. Je suis retourné à la tâche.

Après les sacs, est venu le tour de Lasly. Je craignais qu'il ne fasse tout un drame. Erreur. Il s'est engagé sous la cascade sans trop d'hésitations. Et il a touché au but sans problème.

Il m'a souri.

— Je suis content que tu sois vivant, Giraud.
Bien content... Méryl... Elle était jalouse, hein?
Elle voulait Kyra pour elle toute seule?

— Sans doute... Va t'habiller, Lasly, tu es
bleu de froid.

Un jeune visage, à peine ombré de duvet
brun, et des yeux brun-roux à l'expression
indéchiffrable.

Lasly s'est éloigné en murmurant une phrase
que je n'ai pas comprise.

Kyra m'a appelé pour que je l'éclaire. Elle
allait descendre. La lumière qui brillait au-
dessus de la cascade s'est éteinte. J'ai levé à bout
de bras la plus grosse de nos lampes. Malgré
tout, ça ne devait pas donner beaucoup de clarté
au sommet.

J'ai suivi la descente de Kyra, attentivement.
Son corps progressait, sans hâte imprudente,
apparaissant et disparaissant dans les replis de
l'eau. La cascade me douchait.

Kyra est arrivée au but saine et sauve, et j'ai
soupiré de soulagement. J'avais eu peur pour
elle. Je savais ce que je devais à la chance.
Logiquement, ma chute aurait dû me tuer...

Kyra a posé sa main sur mon bras. Les yeux
pailletés d'or me regardaient intensément.

— Je suis heureuse que ce soit toi, Giraud...
Toi, et pas elle...

Pauvre Méryl. Qui m'avait haï, comme le pensait Kyra. Et qui avait tenté de me tuer. Pauvre Méryl, que personne ne regrettait. Même pas l'objet de sa délirante passion...

CHAPITRE XIV

Terrifiante chaleur. Malgré notre nudité, nous cuisions à feu vif. Et le poids du sac était intolérable.

Nous progressions depuis longtemps dans un tunnel qui s'élevait en pente douce. Peu à peu, il s'était échauffé jusqu'à nous faire croire qu'il menait aux portes de l'enfer. Nous nous étions déshabillés. Les vêtements n'étaient plus supportables.

Sol, murs et plafond, le tunnel semblait avoir été vitrifié. Surfaces de laque noire, que nos lampes faisaient miroiter. La mienne emboîtait mon crâne dans un réseau de métal chauffé. Je l'aurais arrachée avec joie. Je ruisselais de sueur, sans répit.

Cette fois, la tête de mort dessinée par l'oncle devait annoncer un danger bien réel. Une masse de matière ignée, sans doute, qui devait gîter pas bien loin. J'aurais parié que nous allions tout droit vers elle.

A gorgées successives, nous avions presque vidé nos gourdes. Et je doutais de l'utilité des capteurs d'eau dans une zone aussi desséchée. Les capteurs ne trouveraient pas ici assez d'humidité pour fournir plus que quelques cuillerées de liquide.

Le bruit s'est manifesté avant la clarté. Un bruit bouillonnant de purée trop chauffée, qui claque, crève, et explose en giclées. La chaleur se faisait matière. Une muraille dense. Mon corps englué s'y mouvait de plus en plus péniblement.

Une lumière rouge intense apparaissait. Elle laquait de reflets sanglants le verre noir du tunnel. Le bruit de purée trop cuite s'intensifiait. Puis sont venus grondements et détonations. Sous mes pieds, le sol a commencé à vibrer. La clarté rouge palpitait.

Nous nous étions arrêtés. Réaction instinctive. Le danger proche semblait démesuré.

— Nous allons vers un puits volcanique en activité, a dit Kyra, d'une voix âpre.

Son visage verni de sueur restait calme, mais ses yeux avouaient la peur. La même peur s'exprimait dans le regard de Lasly. Le garçon se mordait la lèvre. Rikki, juché sur le sac de Kyra, couchait les oreilles. Sa queue avait doublé de volume.

J'avais peur aussi.

Grondement enragé. Le monstre furieux se déchaîne. Une secousse me fait trébucher. La seconde se produit en même temps qu'un formidable fracas. Explosion gigantesque. Je vacille, en cherchant à garder l'équilibre.

Au fond du tunnel, droit devant, la clarté rouge se fait incandescence.

Une épaisse langue de matière ardente, grumeleuse, brasillante, apparaît. Elle progresse, en mouvements reptiliens, en molle coulée, en boursouflures de flammes. La chaleur est démentielle. Mes poumons brûlent.

Nous avons fait demi-tour pour courir, d'un même élan, sans concertation. Le tunnel entier vibrait, secoué comme un navire par la tempête.

La coulée flamboyante glissait sur nos traces.

Je courais trop vite. Le manque d'air m'a obligé à ralentir. J'avais la bouche béante, les poumons en feu, et une lame aiguë taraudait mon côté.

Lasly a hurlé :

— Non! Non! Attendez-moi.

Dans un bel élan de fuite égoïste, j'avais devancé les autres. Kyra était derrière moi, haletante. Rikki se cramponnait à ses cheveux.

Lasly était plus loin. Il s'appuyait à la muraille, plié en deux. Il gémissait de détresse.

La coulée rouge rampait vers lui.

Je suis revenu sur mes pas, de même que Kyra.

Le garçon suffoquait, les yeux fous. La terreur le paralysait.

— Prends son sac, Giraud, a dit Kyra. Je vais l'aider.

J'ai débarrassé Lasly de sa charge, sans qu'il fasse un seul mouvement. Il n'était plus en état de raisonner.

Kyra l'a tiré par le bras.

— Avance, Lasly!

Nous nous sommes remis à la course. Je me contraignais à des foulées régulières, à un rythme respiratoire calculé. Aspiration, expiration, aspiration, expiration. J'avais passé les courroies du sac de Lasly autour de mon bras.

Kyra tirait le garçon, qui se mouvait avec une rigidité de mannequin. Elle l'a giflé, férocement.

— Avance! Tu veux cuire vif?

Derrière nous, le fleuve de feu glissait, plus épais et plus large à chaque seconde. Les grondements roulaient en fracas ininterrompu. La roche vibrait de secousses successives.

Nous courions. Nous nous reposions quelques instants. Nous repartions dans la fuite. La rivière ardente nous poursuivait toujours. Sans hâte, avec des haltes et des reprises, mais inexorablement.

J'essayais d'oublier que le tunnel où nous étions prisonniers était terriblement long. L'affolante chaleur de la coulée brûlante nous torturait sans répit. Et nos gourdes étaient vides.

La fermeté réaliste de Kyra et son aide avaient rendu à Lasly de l'énergie. Il courait avec nous, sans nous retarder. Mais je portais toujours son sac, et je me serais passé de ce fardeau supplémentaire.

Plusieurs fois, le ralentissement du fleuve de feu nous avait laissé espérer qu'il s'arrêterait pour de bon. Plusieurs fois, la coulée grumeleuse était repartie. Grondements et détonations résonnaient toujours. Je craignais que secousses et vibrations ne fassent crouler le roc sur nos têtes.

Chaleur hallucinante. L'air embrasé, sans doute pauvre en oxygène, brûlait nos poumons sans les emplir.

Nous arrivions tous à la limite de nos forces. Nous avions besoin de repos, besoin de boire, et besoin d'air frais.

Sans Kyra, qui le tirait, le houspillait, le

frappait, je crois que Lasly aurait renoncé. Mais Kyra paraissait aussi épuisée que le garçon. Visage empourpré, baigné de sueur, et yeux hagards.

Je n'avais sûrement pas meilleure mine. Mes jambes tremblaient de fatigue. Plusieurs fois, j'avais été tenté d'abandonner le sac de Lasly. Je ne supportais déjà plus le mien.

Rikki, qui avait quitté Kyra pour venir s'accrocher à mes cheveux, me semblait avoir acquis un poids considérable.

Une nouvelle halte, autorisée par un ralentissement du fleuve de feu. Nous nous taisions, trop occupés à aspirer de l'air qui n'arrivait plus. Bouches béantes de poissons agonisants partout. Nous devions être, en effet, proches de l'asphyxie...

Un souffle frais passant sur mon corps trempé m'a fait découvrir, dans le plafond du tunnel, une étroite faille zigzaguante.

Dans la même seconde, Rikki jaillissait, pour s'accrocher au bord de cette fente, et y disparaître.

— Il y a un passage là, a dit Kyra, mais est-ce que...

La musique émise par Rikki l'a interrompue. Le chat était réapparu au bord de la faille. Il

chantait avec insistance. Il semblait nous inviter
à le suivre.

Mais cette fente, si elle suffisait pour lui, me
semblait bien étroite pour nous...

Il fallait tenter de passer quand même. Et
vite! Avant que la coulée ne se remette en route.
Il ne nous restait plus beaucoup d'espoir. Dans
le tunnel où nous nous trouvions, l'oxygène
disparaissait peu à peu. Et les gaz libérés par la
matière ardente nous empoisonnaient.

Kyra s'est débarrassée de son sac.

— Soulève-moi, Giraud. Je vais essayer.

J'ai hissé Kyra, jusqu'à ce qu'elle puisse
s'accrocher au bord de la fente. Sans aucune
aisance. Mes muscles surmenés ne collaboraient
plus.

Kyra se tortillait, avec frénésie. Son corps est
remonté, peu à peu, et a disparu dans l'ouver-
ture.

Bref temps de silence, et Kyra a crié :

— Envoie-moi une corde, Giraud, je vois où
l'accrocher.

J'ai lancé le rouleau dans la main qui surgissait du trou. En demandant :

— Ça se présente comment?

Je craignais que la voie ne débouche sur un
cul-de-sac, trop peu vaste pour permettre la mise

en route des capteurs d'eau. Auquel cas nous n'aurions pas plus qu'un sursis...

Kyra m'a rassuré. La faille s'ouvrait sur un tunnel.

J'ai fait passer les sacs. En les vidant des pièces les plus encombrantes de notre matériel. Celles-là ont franchi le passage une par une.

Impossible d'obtenir l'aide de Lasly. Il ne comprenait ni mes paroles, ni même ce que j'étais en train de faire.

La terreur l'avait vidé de ses facultés de raison. J'ai eu d'énormes difficultés quand j'ai tenté de le faire passer. Il ne voulait ni s'accrocher à la corde, ni grimper. Même en le frappant, je n'obtenais aucun résultat.

En se remettant en route, la coulée rouge a mieux réussi que moi. La panique a poussé Lasly vers le salut. Mais Kyra a dû le tirer pour qu'il franchisse la faille.

Le fleuve ardent approchait. Le tunnel entier s'incendiait de reflets cramoisis. Je rôtissais vivant, sans pouvoir respirer.

J'ai escaladé la corde, aussi vite que possible. Franchir la faille m'a arraché quelques morceaux de peau. Sur le moment, je n'ai rien senti.

Le courant d'air qui rafraîchissait mon corps cuit et lavait mes poumons était la vie même.

Je ne pensais plus.

J'avais dormi quelques instants, étalé sur le ventre. Rikki tirait mes cheveux, en chantant une musique insistante.

De la faille proche sortaient des bouffées de torturante chaleur, et une palpitante clarté. J'ai pris conscience d'une odeur mordante, qui brûlait mes narines.

Le fleuve de feu progressait dans le tunnel inférieur. Par la faille, les gaz empoisonnés passaient.

La place n'était pas bonne. A quitter au plus vite.

Kyra et Lasly dormaient, repliés en chien de fusil. Nous nous étions tous écroulés sur place, incapables d'un seul mouvement supplémentaire.

Facile de réveiller Kyra et de lui faire comprendre qu'il fallait quitter les lieux de suite, mais Lasly refusait de bouger. Il s'est replié un peu plus sur lui-même, les yeux obstinément clos. Je l'ai mis debout de force, et sans tendresse. Moi aussi, j'étais fatigué.

Kyra et moi avons remis dans les sacs le matériel. Lasly nous regardait, parfaitement inutile. Il avait une allure de somnanbule. Pour obtenir qu'il nous aide, il aurait fallu le houspiller sans cesse. Plus simple de se passer de lui.

Plus simple aussi de prendre moi-même son sac, plutôt que de le contraindre à le charger.

Lasly était assez pitoyable. Un enfant, perdu dans un univers démesurément hostile, et qui n'espère plus de secours.

Kyra a pris le garçon par le bras.

— Viens, Lasly, nous devons nous éloigner un peu. Les gaz qui montent par cette faille sont dangereux.

Elle parlait avec une gentillesse dont j'aurais été incapable. S'il m'apitoyait, Lasly m'irritait aussi. Considérablement.

Nous avons avancé. Pas bien vite. Nous nous traînions, avec la même démarche d'ivrognes chancelants.

Le nouveau tunnel taillait dans la roche gris sombre. Nous l'avions pris dans le même sens que le précédent. Sous mes pieds nus, le sol était très chaud. Le fleuve de feu devait couler juste en dessous. Pourtant, un courant d'air frais passait sur mon visage.

Lasly, qui avançait comme un robot déprogrammé, a gémi :

— J'ai soif!

Je l'aurais tué! Sa plainte avivait ma propre soif. Une soif féroce, exigeante, qui me dévorait comme une flamme vive. Il faudrait du temps, hélas, avant de pouvoir satisfaire cette envie. Les capteurs d'eau ne se remplissent pas en quelques minutes. Il faut des heures, pour qu'ils donnent plus qu'une ou deux gorgées de liquide...

— J'ai soif! J'ai soif!

Si Lasly avait été proche de moi, je l'aurais frappé. Et dur.

Kyra s'est contentée de lui dire « tais-toi! », mais sur un ton si féroce que Lasly n'a pas osé recommencer.

A mon avis, la faille était à présent assez loin. J'allais proposer la halte quand le tunnel a débouché dans une caverne. Une caverne vaste, où s'ouvraient une bonne demi-douzaine de voies, identiquement sombres. Un carrefour de souterrains, qui partaient en étoile, dans toutes les directions.

Cinq gros piliers sculptés par la nature coupaient la grotte. Le roc gris-noir de la muraille dessinait des volutes et des vagues pétrifiées.

L'habituel silence était troublé par un bruit doux. Un petit bruit ruisselant, cascadant, qui nous a attirés à lui. Nos lampes ont fait luire des reflets mouillés sur la pierre.

Un ruisselet d'eau sourdait d'une cavité, coulait jusqu'au sol, et se perdait dans une fente.

Lasly s'est rué en avant.

Trop tard pour l'arrêter. Il buvait, la bouche collée au roc, avec des bruits de succion.

Nous aurions dû, et Lasly le savait bien, analyser cette eau avant de la boire.

J'ai croisé le regard de Kyra. Les yeux brun doré disaient clairement « tant pis pour lui! »

Tant pis, en effet. Ce jeune idiot était assez grand pour ne plus avoir besoin de nourrice.

J'ai sorti l'analyseur de mon sac. J'ai placé la petite boîte sous le ruissellement frais. Après quelques secondes, la lampe verte s'est allumée. L'eau était consommable.

Lasly, enfin rassasié, s'est retourné. En voyant l'analyseur, il s'est exclamé :

— Oh! J'avais oublié! Elle est potable?

— Oui! Et tu es veinard! Logiquement, tu pourrais aussi bien t'être empoisonné. Ecoute-moi, Lasly. Tu n'as pas choisi de venir avec nous, je l'admets. Mais tu es là. Nous ne pouvons pas veiller continuellement sur toi comme sur un bébé. Tu as l'âge de raison, non? Alors essaye de te comporter en adulte!

Kyra m'a appuyé. En faisant remarquer que même Rikki avait attendu le résultat de l'analyse avant de boire. Le chat lapait à présent le liquide, là où il s'enfonçait dans une fente du sol.

J'ai oublié Lasly pour aller boire. Avidement.

Kyra a partagé le ruisselet avec moi. Nos visages se touchaient.

Nous avions dormi, plutôt longtemps, puis utilisé le ruisselet providentiel pour laver nos corps suants.

Je me sentais merveilleusement bien. Même les éternelles tablettes alimentaires avaient meilleur goût que d'habitude. Un courant d'air frais, venu on ne sait d'où, entretenait dans la caverne une température supportable. La matière ignée devait pourtant se situer à une proximité relative.

Je discutais avec Kyra des plans pour le futur. Cette éruption volcanique, en nous interdisant la voie de l'oncle, rendait la carte inutile. Seule possibilité, suivre avec un traceur un tunnel allant dans la bonne direction. Peut-être pourrions-nous dépasser la zone dangereuse, et retrouver ensuite le chemin connu.

Kyra partageait mon avis.

Jusque-là, Lasly avait écouté sans intervenir. Il a hurlé, soudainement :

— Non! Je ne veux pas! Vous êtes fous! Nous allons tous crever ici! Il faut retourner! Je vous en prie... je vous en prie...

Le jeune visage se convulsait de désespoir.

Kyra a soupiré, avec lassitude.

— Nous ne *pouvons* pas retourner, Lasly. Pas sans les clares. Pour nous, c'est impossible.

Essaye de comprendre. Tu n'as pas d'autre choix que de nous suivre.

Kyra ne menaçait pas. Elle exprimait la réalité, très calmement. Lasly l'a compris. Ses yeux s'emplissaient de larmes.

Pauvre gamin. Entraîné dans une aventure pénible, pour obéir à Grag. Avait-il, une seule fois en sa vie, pu décider librement de son destin?

Il pleurait, à présent, la tête dans ses mains. Entre les hoquets, il balbutiait des fragments de phrases.

J'ai mis un moment à comprendre les mots peu distincts. Lasly répétait, comme une litanie :

— Je voudrais... je voudrais... je voudrais...

Il voulait ce que personne ne pouvait lui accorder. Il voulait s'évader de son cauchemar, et se retrouver à la surface, par une magique et immédiate opération.

Kyra a soupiré de nouveau. Avant d'essayer de consoler le garçon, en lui faisant miroiter la richesse possible. Perte de salive. L'enfant malheureux ne voulait pas ce hochet-là. Pas du tout.

CHAPITRE XV

Le tunnel que nous avions pris allait dans la bonne direction, mais il nous a amenés à un cul-de-sac. Après un trajet suffisamment long pour que l'idée de le refaire en sens inverse ne nous enthousiasme pas. Retour en arrière obligatoire, pourtant.

Lasly nous suivait. Un vivant symbole de réprobation. Il boudait, ronchonnait, et refusait de nous parler. Une question directe obtenait tout juste une réponse monosyllabique. Et encore.

Lasly m'exaspérait. Kyra s'agaçait aussi, mais elle faisait quelques efforts dans la gentillesse. Le côté maternel, sans doute, qui existe en toute femme. Kyra se montrait plutôt indulgente.

J'étais moins patient. Je contenais mal une belle envie de rosser Lasly. Solution boiteuse, qui n'aurait rien arrangé.

Lors d'une halte, Kyra avait tenté d'inviter

Lasly à une séance amoureuse de groupe. L'idée était valable. Malgré mon peu de goût pour les corps masculins, j'aurais coopéré. L'entente qui existait entre Kyra et moi avait pu amener Lasly à se sentir exclu. Malheureusement, la proposition avait été refusée avec hargne.

— Non! Vous me dégoûtez trop!

Inutile d'insister. A force de rancune, Lasly voyait en nous des bourreaux, qui le tourmentaient par plaisir. Même Rikki était détesté. J'avais remarqué que le chat évitait le garçon, avec soin. Lasly avait probablement tenté de le molester.

Situation inquiétante. La haine de Méryl nous avait déjà valu une mauvaise histoire. Celle de Lasly pourrait en provoquer une autre. Par la force des choses, nous étions tous liés. S'il le voulait, Lasly aurait bien des occasions de nuire...

Autre sujet préoccupant, nous suivions à présent un chemin inconnu. Pourrions-nous retrouver la voie indiquée par l'oncle? Rien de moins sûr. Par prudence, j'avais commencé à jalonner la route.

Lasly était peut-être dans le vrai. Retourner à la surface aurait été plus sage. Les clares existaient-ils, seulement? Ne pourchassions-nous pas, avec un acharnement imbécile, une chimère?

Le second tunnel choisi obliquait par rapport à la bonne direction. Mais les autres nous auraient éloignés davantage. Nous espérions une bifurcation propice.

Pas de bifurcation, mais la chance nous a quand même servis. Après quelques heures de voyage, le souterrain s'est courbé obligeamment dans le bon sens.

Kyra et moi étions enchantés. Pas Lasly. Il a grommelé une phrase où il était question du diable, qui s'ingéniait à nous satisfaire. Ni Kyra ni moi n'avons relevé le propos. En règle générale, nous évitions d'envenimer des rapports déjà très mauvais. Malheureusement, Lasly confondait notre sagesse avec de la faiblesse. Et il en profitait pour nous asticoter au maximum. Comportement d'enfant, qui cherche à exaspérer les adultes. J'étais de plus en plus tenté de donner à Lasly la correction qu'il méritait. A en juger par le regard de Kyra, elle devait ressentir la même tentation.

Dès le début de la mésentente, j'avais confisqué le brûleur de Lasly. Sans dissimuler mes raisons. Compte tenu de son état d'esprit, je ne tenais pas à ce que le garçon garde la disposition d'une arme aussi dangereuse.

Lasly n'avait pas discuté, mais son regard

buté exprimait clairement qu'il prenait ma décision comme une brimade supplémentaire.

L'ardente chaleur oubliée renaissait. Nous
approchions du puits volcanique. Il ne semblait
plus être en activité. Calme parfait, sans grondements ou secousses. Mais ce puits, qui avait dû
être en sommeil au moment du voyage de
l'oncle, s'était réveillé pour nous. Et la matière
ignée avait largement débordé ses limites. Pas
impossible qu'elle nous interdise de continuer,
quoi que nous tentions.

Lasly traînait en arrière, laissant s'accroître la
distance entre lui et nous. Je lui avais déjà
enjoint deux fois de se presser. Peine perdue.

La bonne méthode aurait consisté à le laisser
faire. Il aurait suffi qu'il nous perde de vue pour
que la peur le pousse à courir sur nos traces.
Mais j'étais trop irrité pour la sagesse. Je suis
revenu sur mes pas. Pour empoigner Lasly, et le
projeter en avant d'un bon coup de pied aux
fesses.

Il a opté pour la marche rapide. Trop rapide.
Il n'a pas tardé à nous devancer.

Exaspération maximum. J'en avais les
mâchoires crispées. Je voulais que Lasly reste
avec nous, pas qu'il traîne derrière, ou prenne
les devants. Je l'avais désarmé, j'étais respon-

sable de sa sécurité. Sa position en avant-garde était nettement plus hasardeuse que la précédente. Nous ne suivions plus la carte de l'oncle. Rien ne nous signalait les zones dangereuses. La prudence était impérative, et Lasly le savait très bien. Ses réactions infantiles dépassaient les bornes du tolérable.

J'ai juré entre mes dents. Cette fois, Lasly allait récolter la raclée qu'il cherchait.

Il avait pris vingt ou trente mètres d'avance sur nous. J'allais courir à ses trousses quand une palpitante clarté bleu-vert a soudainement surgi devant lui.

Une clarté pulsante, mouvante, qui illuminait le tunnel de reflets aigue-marine.

Lasly s'était arrêté. J'ai vu sa main chercher, à sa ceinture, l'arme qui ne s'y trouvait plus. Une ligne de feu bleu-vert auréolait son corps de fines pointes lumineuses.

Lasly a crié.

J'avais mon brûleur en main, de même que Kyra, mais comment tirer? Lasly faisait écran entre nous et l'étrange chose qui s'approchait. Un bloc de matière transparente, analogue à du verre, qui se mouvait paresseusement. Il se présentait sous la forme d'un bouquet de tiges rigides, de longueurs inégales, accolées les unes aux autres. Les tiges crachaient des flammes de clarté aigue-marine en dents de scie.

Une vague d'odeur acide assaillait mes narines. J'avais le corps parcouru de picotements.

Lasly s'était statufié. Kyra et moi lui avons hurlé les mêmes conseils. Qu'il recule, et surtout se déplace, pour ne pas gêner notre tir. Sans résultat. Lasly ne semblait rien entendre. Il n'a pas bougé. Sa chevelure se dressait, comme douée d'une vie autonome, chaque cheveu prolongé par une aiguille de clarté bleu-vert.

La chose était très proche de lui. Elle progressait en glissant, comme un véhicule qui se déplace sur coussin d'air.

J'ai pris le risque de tirer, par-dessus la tête du garçon. Je *sentais* le danger.

La décharge a tranché un faisceau de tiges au sommet. Elles ont explosé, en pluie tintinnabulante.

Mais la chose a continué à avancer, en un lent mouvement glissé. Les flammes de lumière palpitaient, sur un tythme saccadé.

L'odeur acide s'était accrue. Les rafales picotantes qui me parcouraient devenaient très pénibles. J'étais picoré par un milliard d'épingles. Entre la fourrure de Rikki, perché sur mon épaule, et mes cheveux, des étincelles crépitaient. Le poil du chat était fantastiquement gonflé.

Lasly a hurlé. Un cri d'angoisse absolue, qui s'est vrillé dans mes oreilles.

J'ai dit à Kyra :

— Tire sur cette saleté. Je vais ramener Lasly.

J'ai foncé. En donnant toutes mes ressources de vitesse.

J'ai empoigné le garçon par le bras. Le contact m'a secoué d'une décharge électrique. La piqûre des épingles devenait supplice. La palpitation de clarté trop proche me blessait les yeux.

J'ai fait pivoter Lasly, je l'ai forcé à se courber, et je l'ai poussé devant moi. Pour ne pas gêner Kyra, nous avons rasé la muraille. Elle tirait et tirait. Les décharges se répercutait dans la cible, en fracas de verre brisé.

Lorsque nous avons été à bonne distance du bloc lumineux, j'ai lâché le garçon pour me retourner et tirer aussi.

La chose n'avançait plus. Les flammes de lumière baissaient.

Nous avons tiré longtemps. Les décharges démantelaient le bloc de tiges, morceaux par morceaux.

Il n'en est plus resté qu'un amas de poussière granuleuse, et des fragments aigus. Nos lampes

les faisaient scintiller, mais les flammes aigue-
marine avaient disparu. Les picorantes épingles
aussi.

J'ai essuyé mon front suant. J'avais souffert
d'une belle crise de frousse.

Kyra était pâle, suante elle aussi.

— Distorsion! Cette monstruosité émettait
un formidable champ électrique! Si elle nous
avait touchés...

Eh oui. Si elle nous avait touchés... Un
contact direct aurait probablement fait bouillir
le sang dans nos veines.

J'ai regardé Lasly. J'étais encore furieux. Le
garçon était livide. Ses lèvres décolorées tremblaient. Un peu d'intelligence renaissait dans
son regard hébété.

J'ai craché hargneusement :

— Foutu imbécile! Est-ce que tu réalises que
tu as failli être victime de ta stupidité? Je devrais
te rosser!

Lasly a baissé la tête.

— Je ne le ferai plus, Giraud. Je te jure.

Le petit garçon se repentait. Sincèrement. Ma
colère refluait. Que faire de ce gosse irrespon-
sable?

Je revoyais sa main, cherchant une arme
absente... Je préférais ne pas penser à ce que
j'aurais ressenti si Lasly avait été tué...

J'ai fouillé dans mon sac.

— Reprends ton brûleur, Lasly. Je veux bien te faire confiance. Tâche de ne pas me décevoir.

— Oh! non!

Grand élan de sincérité. Pour un peu, Lasly aurait promis d'être bien sage. Un moutard! Un petit moutard inconscient! Hyper deux fois distordu!

Nous avons repris la route. En sautant prudemment par-dessus les débris vitrés. Ils étaient sûrement inoffensifs, à présent, mais sait-on jamais...

Une centaine de mètres plus loin, nous avons croisé un autre tunnel. Rikki a émis une cascade de notes inquiètes. Au fond d'un trou de noirceur, j'ai vu palpiter de lointaines lueurs aigue-marine.

Nous avons tous pressé le pas. D'autres fagots de tiges électrifiées devaient gîter dans ce passage. Personne ne tenait à les rencontrer.

Nous avions laissé ce tunnel derrière nous depuis longtemps, quand j'ai pensé à vérifier si notre voie suivait toujours la bonne direction.

J'ai sorti mon traceur. Un traceur est l'aboutissement logique et moderne de son ancêtre la boussole. Il est prévu pour s'adapter à n'importe

quelle planète. Mais la complexité de son mécanisme le rend très délicat.

Mon traceur ne fonctionnait plus. Sur le
cadran aux multiples données, les aiguilles
s'étaient figées.

Pas d'inquiétude immédiate. En raison, juste-
ment, de la fragilité d'un traceur, nous en avions
emporté plusieurs.

Les consulter tous, les uns après les autres, de
plus en plus fébrilement, m'a révélé l'étendue de
la catastrophe. Tous nos traceurs étaient morts.
Définitivement. L'intense champ électrique émis
par le bloc de tiges les avait détraqués.

Je les ai secoués, assaillis de chiquenaudes,
injuriés, avant d'accepter la réalité. Nous
n'avions plus de traceurs.

Lasly écarquillait des yeux affolés. Il a hurlé,
d'une voix suraiguë :

— On ne pourra pas retourner !

— Mais si. Il suffira d'attendre que la matière
ignée se soit refroidie pour reprendre le chemin
que nous connaissons.

Je ne disais pas toute la vérité. Le déborde-
ment de lave avait fort bien pu boucher à peu
près cette voie. Et rien ne prouvait que le puits
soit retourné au sommeil définitif. D'autres
éruptions pouvaient encore se produire...

Et les clares étaient à présent perdus.

J'avais plus de peine à admettre cette réalité-là que l'autre. J'aurais volontiers hurlé de frustration. Toute cette expédition pour rien!

Le regard de Kyra exprimait une rage impuissante. Ses mâchoires se sont serrées.

— Je ne veux pas renoncer, Giraud. Je ne *peux* pas! Nous sommes si près du but... Essayons au moins de suivre ce tunnel jusqu'au bout?

Nous étions près du but, en effet. D'après la carte de l'oncle, entre le puits volcanique et la caverne aux clares, la distance n'était pas énorme.

J'ai admis que moi non plus, je ne *pouvais* pas renoncer.

— D'accord, Kyra. On essaye.

Lasly nous regardait, le visage tordu d'angoisse. D'évidence, il nous classait déments. Je m'attendais à une marée de protestations. Erreur. Le garçon s'est tu. Un très gros effort dans le sens de la conciliation. L'épisode du bloc de tiges avait réconcilié Lasly avec nous. Il ne nous détestait plus.

CHAPITRE XVI

Une forêt. Une immense forêt pétrifiée, féerique, enclose dans une caverne si vaste que je n'en distinguais pas les limites. Une forêt épaisse, emmêlée, baignée dans la lumière des clares.

La Jungle de Pierre.

Je n'avais pas cru à la chance. L'expérience m'a appris qu'elle sert très rarement ceux qui ont besoin d'elle.

Nous avions pourtant atteint le but. Après un voyage de plusieurs jours dans le même souterrain.

Il nous avait amenés à cette gigantesque caverne. Les clares l'illuminaient. Je n'en avais jamais vu de semblables. Des clares énormes, flamboyants, qui diffusaient leur propre clarté. Ils chatoyaient, couvrant toute la gamme des couleurs. Des flèches de lumière dansaient, jaunes, orange, rouge clair, cramoisies, bleu azur, outremer, violettes, turquoise, émeraude, blanches, topaze...

Les clares sont des cristaux. Ils se présentent sous une forme tout en arêtes, très scintillante. Mais aucun de ceux que j'avais pu voir n'atteignait à un tel paroxysme lumineux, assez intense pour créer dans la caverne un demi-jour traversé d'éclairs.

La Jungle de Pierre.

Jusque-là, je ne m'étais pas interrogé sur le sens de ces mots bizarrement associés. Jungle, qui évoque une vie frénétique, et pierre, qui suppose au contraire l'immobilité éternelle.

Mais le nom avait été bien donné. Un fouillis d'arbres et de plantes minérales, gris, noirs, beiges, bruns, verts, bleus... l'œil trouvait des analogies partout. Candélabres, cyprès, cèdres, sapins, pommiers, fougères en dentelle de pierre, hêtres et buissons, viornes et lianes...

Arbres et plantes portaient des bouquets de cristaux, groupés par couleur. Une tache de clarté citron ici, une bleue là, une pourpre plus loin, qui flamboyaient.

La jungle bougeait.

J'ai vu un bouquet de cristaux verts s'envoler d'une branche torse de pommier, pour rejoindre un candélabre. La tige courbe s'est haussée, harmonieusement, pour accueillir les clares. Ils se sont posés. Un vol de papillons butinant. Ils ont gainé la branche d'une lumière de jade.

— C'est vivant, a chuchoté Lasly, émerveillé.

Oui, la Jungle vivait. Si la vie est mouvement. Elle bougeait, en tout cas.

Les cristaux s'envolaient pour changer de branches, et les plantes se haussaient pour les accueillir.

Spectacle irréel, somptueusement beau, et presque inquiétant à force d'étrangeté.

Notre tunnel se plaçait en surplomb. Nous dominions de haut la Jungle miraculeuse. Une quantité de souterrains foraient les parois de la caverne. En dessous et à gauche de notre position, je voyais déborder d'un passage une coulée grumeleuse. Sous une croûte noire, un faible brasillement rouge transparaissait.

Le chemin de l'oncle.

Nous en avions suivi un autre, qui menait au même but, en évitant heureusement le puits volcanique.

Kyria s'est étirée.

— Descendons, Giraud.

Le regard pailleté luisait de triomphe.

Je triomphais aussi. Nous avions gagné, en finale. Les clares étaient là. Plus de clares que nous n'en pouvions désirer. De quoi payer la rançon de toute la Galaxie. De quoi faire s'effondrer le marché. Que l'existence de cette caverne vienne à être connue, et les cristaux n'auraient pas plus de valeur qu'un grain de sable.

Lasly avait l'air aussi triomphant que nous. La fortune dont il croyait se désintéresser dans l'abstrait venait de se matérialiser. A présent, il la *voulait*. Passionnément.

Rikki, logé sur mon épaule, a tiré mes cheveux. En chantant une cascade de notes insistantes. Des notes claires, excitées, qui tentaient de me communiquer un message que je ne comprenais pas. La musique véhicule bien les sentiments, mais des sentiments simples. Rikki me parlait dans une langue inconnue. Le message restait lettre morte. Je l'ai négligé. Il ne ressemblait pas à un appel d'alarme.

Nous sommes descendus. L'un après l'autre, à l'aide d'une corde. Je suis passé le dernier.

En arrivant au sol, j'ai trouvé mes deux compagnons très absorbés. Ils contemplaient quelque chose que je ne distinguais pas.

Je me suis approché. Aux pieds de Lasly et Kyra, deux squelettes reposaient côte à côte. Une main d'os étreignait encore un mini-extrateur. Près d'un arbre de pierre bleue à branches tombantes, des sacs rongés achevaient de pourrir.

Quelques lambeaux de vêtements s'accrochaient aux os jaunis. Sur un sternum, reposait un navire spatial miniature, pendu à une fine chaîne. Un bijou en déryl, pas plus gros qu'une olive, incrusté d'éclats de diamants.

— C'est mon oncle, a dit Kyra d'une voix plate. J'ai bien souvent joué avec ce petit navire...

Ainsi, le dernier voyage de l'oncle l'avait amené à la mort. Il était arrivé jusqu'aux clares, mais ni lui ni son compagnon n'avaient pu repartir. Pourquoi?

— Qu'est-ce qui les a tués? a demandé Lasly, d'une voix angoissée.

Qu'est-ce qui les avait tués, en effet? Juste au moment où, comme en témoignait l'extracteur, ils s'apprêtaient à prendre les clares? Je n'en avais pas la moindre idée. Les squelettes ne révélaient rien. Les os étaient intacts, encore réunis par les articulations. Il n'y manquait pas une phalangette...

Le bouquet de tiges vitrées et son champ électrique me revenaient en mémoire. Avec acuité. Une vie étrange existait, dans ce Royaume de Pierre. Qui sait ce que cachait la Jungle? Elle était assez vaste et dense pour

receler n'importe quoi. Et les arbres vivaient...
les clares aussi...

Kyra s'était accroupie, pour prendre la chaîne
et le pendentif.

— Je le garderai. En souvenir de mon oncle.
J'avais beaucoup d'affection pour lui.

Elle se relevait. Au bout de la chaîne accrochée à sa main, le navire se balançait.

Seul l'amour-propre m'a retenu de hurler :
« laisse-le ! » Je devenais terriblement supersti-
tieux. J'avais l'impression que le mort allait se
lever en réclamant son bien...

La Jungle semblait paisible, pourtant. Vol
scintillant des cristaux, lents mouvements de
branches. L'illusion de vie était contredite par
un silence absolu. Le souffle de vent frais qui
caressait mon visage ne produisait pas le
moindre bruissement.

Devant moi, la branche d'un candélabre s'est
gainée d'une floraison intensément bleue. J'ai
essayé de prendre un cristal. Vaine tentative. Il
venait de se poser là, mais il semblait fixé à son
support depuis toujours. Impossible de le déta-
cher.

Sur une branche plus basse, j'ai remarqué un
bouquet de clares topaze, plus petits et beaucoup moins lumineux que les autres. Ils ressemblaient davantage à ceux que j'avais pu voir,

ornant le cou ou les doigts d'une élégante fortunée. Pas plus facile à cueillir que les autres, hélas. Pour prendre les cristaux, il nous faudrait utiliser nos mini-extrateurs.

Kyra a soupiré.

— Je ne sais pas ce qui m'arrive, Giraud, je devrais être au comble de la joie, et je me sens de plus en plus mal à l'aise. Prenons les clares et partons, veux-tu?

— Oh oui! a approuvé Lasly. Moi, j'ai peur. Partons vite.

En toute honnêteté, j'étais mal à l'aise aussi. La paisible Jungle me semblait pleine de menace. Une impression de danger diffuse flottait. Elle m'imprégnait jusqu'aux os.

— D'accord, ai-je dit. On ramasse les clares, et on file.

J'ai fouillé mon sac, pour en tirer un extracteur. Kyra a agi de même.

Rikki a explosé en un torrent de notes suraiguës. Un appel d'alarme, très pressant.

Mais je ne voyais rien qui puisse justifier ce signal danger.

J'ai mis un moment à réaliser que le vol des cristaux s'intensifiait. Des fusées de lumières s'élançaient, dansaient, tourbillonnaient, s'aggloméraient, dans un jaillissement frénétique de clarté.

Et j'ai vu se construire, pièce par pièce, un énorme reptile volant. Un dragon de cristal gigantesque, flamboyant de lumière, scintillant de mille couleurs, qui planait sur nos têtes, étalant des ailes démesurées. Un dragon pour conte de fées, extraordinairement beau.

La gueule béante, les crocs rutilants, les serres crispées, menaçaient. Une longue queue serpentine cinglait avec férocité.

J'ai arraché mon brûleur de sa gaine, d'un geste réflexe. Je n'ai pas eu le temps de tirer. Le dragon se dissolvait, et les cristaux s'éparpillaient en volutes tourbillonnantes.

Rikki avait sauté sur mon crâne. Il tirait mes cheveux, frénétiquement, en chantant une musique sauvage.

Kyra remettait machinalement son brûleur à sa ceinture. Ses yeux pailletés étaient pleins d'un étonnement angoissé. Lasly, le visage livide, se mordait la lèvre.

La danse des cristaux s'apaisait. Les clares ont regagné leurs branches, en vol dispersé.

— Pourquoi ont-il fait ça? a demandé Lasly, d'une voix frémissante.

— Je crois qu'il s'agit d'un avertissement, ai-je dit. Les cristaux vivent. Ils ne veulent pas qu'on les prenne. Je ne vois pas d'explication plus logique. Jusqu'à ce que nous sortions ces extracteurs, les clares ne se sont pas occupés de nous... A mon avis, l'oncle et son compagnon sont morts de s'être entêtés...

Kyra pâlissait.

— Non! C'est impossible! Tu te trompes sûrement.

Elle essayait surtout de se mentir à elle;même.

— Préfères-tu être aussi riche que morte, Kyra?

— Je ne cherche pas la richesse proprement dite. Je ne veux que la liberté qu'elle donne.

Evidemment. La liberté de suivre ses propres lois, sans devoir se plier à celles qu'impose le manque d'argent... Je comprenais trop bien la déception de Kyra. Je ressentais la même. Et j'avais encore un autre problème. Mon navire avait été préparé, mais je devais à Kyra une grosse somme. Si elle ne voulait, ou ne pouvait, patienter jusqu'à ce que j'aie pu vendre mes robots ailleurs que sur Breskal, j'aurais à repasser par l'Arène... Sans doute deux fois. Réjouissante perspective. Sans parler du voyage retour vers la surface...

L'envie de tenter quand même d'arracher des clares à leur support devenait irrésistible. Somme toute, mon hypothèse pouvait être fausse...

Kyra et moi avons avancé en même temps

vers un arbre. Rikki l'a atteint avant nous. Il a dansé sur une branche, le poil gonflé, les oreilles aplaties. Sa musique furieuse rugissait.

Lasly a crié, suppliant :

— Non! Non! Ne faites pas ça!

Quelque chose a serré mon cerveau, sauvagement. Un étau monstrueux, qui comprimait et écrasait ma boîte crânienne.

J'ai crié, en lâchant l'extracteur pour prendre ma tête à deux mains. Je titubais, aveugle, sourd. L'étau se resserrait.

Je n'ai pas eu conscience de tomber.

Quand j'ai retrouvé la vue et l'ouïe, j'étais étalé sur le dos. Le torse de Kyra reposait en travers de mon ventre.

L'étau ne serrait plus. J'ai savouré, quelques secondes, une merveilleuse sensation de soulagement.

Kyra a bougé. Son beau visage aux pommettes hautes était livide.

— Tu l'as senti aussi, Giraud?

— Oui.

Lasly avait des yeux affolés. Il a gémi :

— J'ai cru que vous étiez morts! Ne recommencez pas, je vous en prie... Les cristaux ne veulent pas...

Non. Ils ne voulaient pas. Aucun doute. J'étais surpris d'être vivant.

Rikki, toujours perché sur la branche, chantait sans s'interrompre. Un flot déferlant de notes. J'aurais bien voulu en comprendre le sens.

Un vol léger de cristaux verts s'est posé près de lui. Les clares ont tourbillonné, et j'ai vu naître, peu à peu, un deuxième chat de Galma. Un chat de cristal, copié sur le modèle. Un chat étincelant, souligné d'arêtes. Les larges yeux vert pâle semblaient me regarder.

Je n'ai pas *entendu* les phrases. Je les ai *perçues,* imprimées dans mes propres pensées.

« *Ne menacez plus mes vies, et je ne menacerai plus les vôtres. Je n'aime pas tuer.* »

J'ai balbutié :

— Qui...

« *Je suis la Jungle. Je communique par l'intermédiaire de la vie que j'ai imitée. Elle est télépathe, et connaît votre mode d'expression. Remerciez-la. Sans elle, j'aurais anéanti vos vies.* »

Les visages stupéfiés de Kyra et Lasly me disaient qu'ils percevaient aussi cette étrange émission mentale. Le « vous » était collectif.

La Jungle vivait, d'une vie multiple, chaque cristal, chaque plante formant la part d'un tout. Un tout qui possédait une intelligence...

« *L'intelligence a bien des formes. La vôtre*

*m'est étrangère, cependant, je reconnais son
existence. Reconnaissez la mienne, et ne tentez
plus de me molester. Chacune de mes vies est part
de moi. »*

— Mais... a dit Kyra.

*« Je sais. Vous désirez prendre certaines de mes
vies, pour une raison que je comprends mal. Tous
ceux qui vous ressemblaient désiraient si passionnément mes vies que j'ai été forcé de les tuer. Les
menaces n'ont jamais suffi. Mais je ne pouvais
communiquer réellement avec eux. A vous, je dis,
vous pouvez prendre celles de mes vies qui sont
déjà éteintes sans me blesser. »*

J'ai compris presque immédiatement.

— Les petits cristaux? Ceux qui n'émettent
que peu de clarté?

*« Oui. Ces vies étaient faibles. Elles n'ont pu
croître, et se sont interrompues. Vous pouvez les
prendre. Je ne vous tuerai pas si vous voulez vous
engager à ne pas révéler mon existence à ceux qui
vous ressemblent, et si la vie mâle et la vie femelle
me laissent effacer de leur mémoire le souvenir du
chemin qui mène à moi. »*

— Mais nous ne pourrions pas repartir! a
crié Lasly, affolé.

*« Je vous ramènerai moi-même à la surface de
ce monde. »*

— Comment...

« *J'ai des pouvoirs que vos vies ne connaissent pas.* »

Des pouvoirs... Oh que oui! Comme cette force qui avait serré ma boîte crânienne...

« *Me donnerez-vous votre promesse de ne rien révéler? Prenez garde! Vous avez coutume de cacher vos pensées. Vous ne pourrez pas le faire. Je vous sonderai, et je saurai la vérité.* »

Une vie différente... mais pas différente au point de ne pas désirer se protéger... La Jungle n'aimait peut-être pas tuer, mais elle le ferait si nécessaire...

A réflexion, j'ai admis que la Jungle avait, comme toute vie, le droit de vouloir continuer à vivre. Le droit aussi de défendre son existence. Ce qu'elle demandait, en échange des clares, était bien peu de chose.

J'ai donné ma parole. Je ne le fais jamais à la légère. Et quand je la donne, je la tiens.

Kyra avait dû parvenir à la même conclusion que moi. Elle a donné sa parole aussi. Avec une gravité calme, qui excluait toute idée de tricherie.

Lasly a juré, à son tour, qu'il ne raconterait jamais rien à personne. Avec une ferveur sur laquelle j'aurais parié. Il ne mentait pas. J'en étais certain.

Il a hurlé, pourtant, en prenant sa tête dans ses mains.

Et il s'est écroulé.

Je n'avais pas besoin de chercher les battements de son cœur. Lasly était mort, ses yeux ouverts figés dans une expression de terreur.

La rage m'envahissait. Pourquoi? J'étais sûr que Lasly avait dit la vérité. Absolument sûr.

Rikki a chanté des notes tristes. Le double de cristal étincelant me regardait. Les yeux en arêtes vertes me semblaient pleins d'ironie. J'aurais volontiers fait exploser les clares d'une décharge.

L'émission mentale a repris :

« *Je regrette pour la jeune vie. Elle n'aurait pas pu tenir sa promesse. Elle était trop faible.* »

J'avais peine à l'accepter, mais je devais bien reconnaître la logique de ce point de vue.

Lasly n'aurait pas, en effet, tenu sa promesse, même s'il avait été sincère en la faisant. Il l'aurait oubliée très vite...

Kyra s'est agenouillée pour fermer les yeux de Lasly. Son geste m'a un peu surpris. Kyra avait mené une vie aussi hasardeuse que la mienne. Un mode d'existence qui exclut très vite la sensibilité. Parce qu'elle constituerait un sérieux handicap.

Et pourtant... Moi aussi, je regrettais le

garçon. L'aventure vécue en commun avait tissé des liens. Point de vue logique ou non, j'en voulais à la Jungle d'avoir tué Lasly. Terriblement.

« *Vos pensées sont gênantes. Je ne comprends pas ce qu'elles expriment.* »

— La colère, a répondu Kyra d'une voix dure.

« *Je ne comprends pas ce sentiment. Mais il est gênant. Je désire que vous partiez. Ouvrez-moi vos esprits, pour que j'efface le souvenir du chemin qui mène à moi. Ne luttez pas!* »

Foutue intelligence d'ordinateur! Si éloignée de l'humain qu'elle ne « comprenait » pas la colère.

J'ai craché, hargneusement :

— Et les clares? Tu...

L'agitation qui naissait chez les cristaux m'a interrompu. Les petits clares s'envolaient en tourbillons dansants. Les volutes scintillantes se sont rejointes. Un ruisseau coloré s'est déversé à mes pieds. Clares d'azur, roses, outremer, orange, violets, jade, caramel, coquelicot, émeraude... Une cascade de clarté douce coulait, et s'entassait sur le sol, en formant une pyramide; avec un bruit tintant de verrerie entrechoquée.

Lorsque la pyramide a cessé de croître, les clares montaient plus haut que mes genoux.

« *Est-ce suffisant ?* »

— Beaucoup trop. Nous ne pourrons pas emporter tout ça.

« *Ouvrez-moi vos esprits !* »

Je ne comprenais pas très bien ce que voulait la Jungle. Est-ce qu'un esprit s'ouvre ou se ferme comme une porte ?

« *Je ne veux effacer qu'une part infime de vos souvenirs. Si vous luttiez mentalement contre moi, je ne pourrais agir efficacement. Je risquerais de léser vos intelligences. Laissez-moi pénétrer en vous, et ne combattez pas.* »

J'ai *senti* quelque chose s'insinuer. Une force insidieuse, qui entrait dans ma mémoire, et en prenait possession. Une présence étrangère, que j'aurais peut-être pu rejeter, simplement en la refusant. Mais je l'ai acceptée. J'avais ma part du marché à tenir. Fragment par fragment, la carte de l'oncle a été effacée. Le chemin de la Jungle s'est dilué peu à peu, jusqu'à ce que je n'en retrouve plus trace.

CHAPITRE XVII

La caverne où nous nous trouvions s'ouvrait, par une faille étroite, sur une vallée rocheuse. Une vallée froide, prise dans la gangue du gel. Meïra, la petite lune de Breskal, découpait des silhouettes de baddurs malingres.

Je ne savais où nous avions abouti. S'il fallait en croire la Jungle, nous devions être « à proximité d'une concentration de vies semblables à la vôtre ». Soit, mais encore ?

La Jungle nous avait transportés là, par quelque tour magique. Impossible de décrire ce voyage. Je l'avais effectué dans une totale inconscience, de même que Kyra. Avant le départ, la Jungle nous avait endormis. Pas question de mémoriser même une infime partie du chemin.

D'après ma montre, le voyage n'avait pas duré plus de quelques heures. Donc, suivant la

logique, nous devions nous trouver ici relativement près de la Jungle, et extrêmement loin des
monts Albrégon. Oui, mais où au juste? Je ne
voyais pas trace de la concentration humaine
annoncée.

— Il faudra attendre le matin, a dit Kyra.

Juste. Meïra n'éclairait que fort peu. Pour un
bon repérage des lieux, il faudrait attendre le
jour.

Nos deux sacs étaient si bourrés de clares
qu'ils pesaient terriblement. Nous avions pourtant éliminé la quasi totalité de notre équipement originel.

Comme tous les nouveaux riches, je craignais
pour ma fortune. J'avais hâte de la mettre en
· sûreté. Avant d'avoir pu arracher le *Snark* à
l'attraction de Breskal, je ne me sentirais pas à
l'aise. Inquiétude justifiée, quand même. Tant
que les clares logeraient dans nos sacs, n'importe quel contrôle policier serait catastrophique. Il nous fallait, d'urgence, un véhicule
pour rejoindre Urraca...

« *Je sens des êtres humains proches. Je peux
vous guider.* »

Une émission mentale. Qui aurait pu provenir
de la Jungle, mais j'ai su, instantanément, qu'il
ne s'agissait pas d'elle. Un mode d'expression

identique, et pourtant différent, comme deux voix peuvent être différentes.

Les précédentes émissions étaient venues d'une intelligence glacée, terriblement logique, et très éloignée de l'humain. La nouvelle était plus chaude, plus amicale, beaucoup plus proche de l'homme.

J'ai compris immédiatement. En même temps que Kyra, qui s'est exclamée :

— Rikki ! C'est toi !

« *C'est moi. Je lisais vos pensées, mais je ne savais pas comment vous transmettre les miennes. La grande intelligence me l'a appris. Je suis content. Je vous aime bien. Vos ondes sont bonnes.* »

— Nos ondes ?

« *Pour nous, les humains émettent des ondes. Parfois, elles sont très bonnes, comme les tiennes, Giraud, parfois très mauvaises, comme celle d'Heinri Soultz, parfois un peu bonnes, ou un peu mauvaises. Les très bonnes nous rendent heureux. Les très mauvaises peuvent nous tuer, si nous les endurons trop longtemps. Celles de Grag étaient mauvaises. Pas trop, je pouvais me protéger, mais dangereuses quand même.* »

Curieux phénomène. Qui expliquait le mystère. Les chats de Galma suivaient volontiers les

humains aux ondes agréables, et fuyaient les
autres, ou mouraient...

— Qu'est-ce qu'il t'avait fait, ce Soultz, Rikki? a demandé Kyra.

« *Il a fait tuer mon ami Andry. Un géologue,
qui travaillait pour la Générale Minière. Andry
avait fait un séjour sur Galma, pour un repérage
des ressources. Ses ondes étaient très très bonnes.
Je l'ai suivi quand il est retourné sur Breskal.
Soultz m'a découvert, et il a voulu m'acheter.
Andry a dit non. Alors Soultz a ordonné son
assassinat. J'ai essayé de prévenir Andry, mais il
était comme vous, il ne comprenait pas toujours.
Je n'ai pas pu empêcher qu'il soit tué par des
mineurs. Un meurtre camouflé en accident. Soultz
espérait me capturer, mais j'ai pu m'enfuir. Et j'ai
erré longtemps dans Urraca jusqu'à ce que je te
rencontre, Giraud.* »

« *Il était comme vous, il ne comprenait pas
toujours.* » Evidemment. La musique de Rikki
ne m'avait pas toujours transmis ce qu'il voulait
me dire... Mais à présent, grâce à la Jungle, il
savait comment atteindre nos cerveaux non télé-
pathes. Et il pourrait nous aider très efficacement.

J'ai demandé :

— Sais-tu ce qu'est exactement cette concentration d'humains, Rikki? Un village? Une
ville?

« *Ni l'un ni l'autre. Une exploitation minière. Le personnel loge sur place. Ils dorment presque tous, sauf quelques gardes.* »

— Peux-tu localiser cette mine?

« *Attends... je cherche... Voilà! La mine s'appelle Ouraffala. L'indication est utile?* »

Elle l'était. Je pouvais situer les monts Ouraffala. Nous étions fort loin d'Urraca.

— Allons voir cette mine de plus près, Giraud, a proposé Kyra. Si nous pouvions voler une navette...

J'avais eu la même idée. Une navette réglerait un premier problème.

Nous avons quitté notre petite caverne, en nous râpant pour franchir la faille.

J'appréciais ma combinaison chauffante. Elle était abominablement crasseuse, mais elle fonctionnait. Appréciable. La nuit gelée glaçait mon visage. Meïra découpait des arêtes rocheuses sur des taches d'ombre.

La mine s'est annoncée par une série de lumières. Un pan de roche que nous venions de contourner les avait masquées. Eclairage nocturne, réduit par souci d'économie. Il permettait tout juste de deviner bâtiments, cheminées et terrils.

J'ai trouvé très plaisant le parking. Il débordait de navettes. Dans une cabine vitrée, un garde solitaire regardait une émission sur un petit écran portable.

— J'y vais, a dit Kyra. Il se méfiera moins d'une femme. Je jouerai les touristes en détresse jusqu'à ce que je puisse l'assommer.

Elle a sorti d'une poche son boudin de déryl, et l'a fait sauter dans sa paume. Un geste éloquent.

Je faisais toute confiance à Kyra. Elle se débrouillerait très bien.

Kyra s'est approchée de la cabine vitrée. Elle a frappé à la porte.

Le garde a redressé la tête. Son visage s'étonnait. Il s'est levé pour accueillir cette visiteuse qui surgissait de la nuit.

Kyra a parlementé. J'étais trop loin pour entendre.

« *Tout va bien* » a émis Rikki. « *Le garde est surpris, mais pas défiant.* »

L'homme avait fait entrer Kyra dans la cabine. Il s'est penché sur un appareil de communication.

Le poing de Kyra a cogné sur sa nuque, avec force et précision. Le garde s'est écroulé.

J'ai rejoint rapidement Kyra. Nous avons ligoté et bâillonné l'homme inconscient, avant de le dissimuler dans une armoire. Avec un peu de chance, il ne serait pas découvert avant le matin. Et nous serions loin.

J'ai pris sur un tableau la clé magnétique d'une navette.

Nous avons cherché le véhicule correspondant au numéro. En nous pressant. Moins nous traînerions dans le secteur, mieux ça vaudrait.

Nous avons logé nos sacs dans l'appareil, avant de nous installer. J'ai programmé une direction sur le cadran. La navette a décollé gentiment. Sans trop de bruit. Pas de quoi ameuter les foules.

— Tu n'as pas programmé Urraca, Giraud? Où allons-nous?

— Nous retournons aux monts Albrégon. J'espère y retrouver la navette de Grag. Elle sera moins dangereuse que notre véhicule actuel, qui peut être recherché bientôt. Et je te laisserai sur place. Avec les clares. Il faudra quitter Breskal en fraude. Nous ne pourrions pas passer un seul clare aux contrôles d'entrée du Cosmoport sans qu'il soit détecté. De plus, Rikki est recherché aussi. Il ne passerait pas les contrôles plus facilement. Non. Je viendrai vous récupérer avec le *Snark*.

— Mais, Giraud! Tu ne peux pas te promener avec un navire spatial sans t'inscrire sur tous les écrans de contrôle...

— Pas si je fais du rase-mottes.

— Tu plaisantes! Tu...

— Distorsion! Kyra! Est-ce que tu me prends pour un foutu touriste? Je suis un Errant. Tu t'imagines que ce serait la première fois que je me passerais d'autorisation pour décoller ou atterrir?

— Très bien, Giraud. C'est ta partie, en effet. Joue-la comme tu l'entends.

La voix de ma campagne était revenue à une calme froideur. Les yeux brun doré n'exprimaient plus rien.

La navette de Grag nous avait attendus. Bien gentiment. Elle se tapissait sous un surplomb de roc, pas bien loin de l'entrée du monde souterrain. Le gel l'avait revêtue d'une gaine argentée.

Je l'ai sortie de son refuge, pour mettre le véhicule volé à sa place. Il n'y serait pas repérable du ciel.

— Rikki, ai-je dit, tu restes avec Kyra. Tu guetteras pour qu'elle ne se fasse pas surprendre, et tu assureras la liaison entre nous.

« *C'est impossible, Giraud. Je ne peux pas émettre ou capter à grande distance.* »

Inconvénient imprévu. Eh bien, tant pis. Pas de liaison, et voilà tout.

« *Ça m'ennuie, Giraud, que tu partes seul. Toi aussi, tu aurais besoin d'une aide télépathique.* »

J'aurais bien aimé l'avoir, en effet. Mais je m'en passerais.

CHAPITRE XVIII

J'avais affiché, pour Kyra, une belle assurance. En réalité, j'avais une idée très exacte des risques à courir. Si je ne réussissais pas à me glisser entre les mailles du réseau de surveillance, la Police Planétaire me tirerait dessus. Sans la plus petite hésitation. Fin du *Snark,* et de Giraud Larcher par la même occasion. Un navire spatial n'est pas censé se promener librement autour d'un monde aussi surveillé que Breskal. Il atterrit au Cosmoport, et pas ailleurs...

Mais j'avais déjà joué ce genre de jeu plusieurs fois. Je comptais sur la pratique pour réussir.

J'ai passé les contrôles de police du Cosmoport sans problème. Les formalités douanières ont duré considérablement plus longtemps. Les vigilants détecteurs m'ont ausculté sur toute les coutures. Ils cherchaient tout, et n'importe quoi. Rikki aussi, sans doute. Le cher Heinri Soultz n'avait sûrement pas désarmé. Il devait se souvenir du chat chaque fois qu'il se regardait dans une glace. Les greffes les mieux réussies laissent quand même des traces.

Mon *Snark* était bien réparé. Tout, propulseurs compris, fonctionnait à merveille. J'aime mon navire. L'habitude nous a soudés. Je le connais, et il me connaît.

J'ai obtenu une autorisation de décoller très légitime. Jusque-là, tout était très simple. La suite allait devenir fichtrement plus compliquée.

J'ai arraché le *Snark* à l'attraction de Breskal. Beaucoup trop vite. Accélération démente, qui m'a durement malmené. Et je suis passé en Hyper à la seconde même où j'émergeais dans l'espace.

Les contrôleurs allaient me classer cinglé. Tout juste l'impression que je voulais donner.

Je suis revenu dans l'espace normal instantanément. J'ai replongé dans l'atmosphère, et j'ai foncé vers la planète en poussant mes propulseurs au maximum.

Je n'étais pas frais. Accélération trop rapide, plus deux distorsions successives qui tenaillaient encore mes viscères. J'avais du sang et de la bile dans la bouche. Mais je n'avais pas fini le boulot.

En entrant dans l'atmosphère, j'ai coupé mes propulseurs. Le *Snark* a chu comme un météore.

Pour les contrôleurs, j'étais un navire en détresse, promis à l'écrasement. Le cinglé avait récolté l'accident qui le menaçait. Ils enverraient des secours. A terre. Du côté du point d'impact présumé. On m'y chercherait un bout de temps, avant les soupçons, et l'intervention de la Police Planétaire avec ses navires de chasse.

Un bout de temps qui, logiquement, devrait me permettre de récupérer Kyra, et de repartir sans être menacé par des canons énergétiques.

Le vrai problème, c'était mes propres réactions. Il *fallait* que je tienne jusqu'au bout.

La chute du *Snark* ne m'aidait pourtant pas. Mon corps surmené envoyait des signaux de détresse. J'étais embrumé, et des taches dansaient devant mes yeux.

L'habitude et les réflexes acquis m'ont permis de reprendre les commandes juste à temps. Avant l'écrasement.

La réussite m'a rendu assez fier de moi pour ramener mes malaises à un niveau supportable.

A présent, j'étais passé en dessous du réseau de surveillance. Même une navette n'aurait pas volé aussi bas.

J'ai guidé le *Snark* vers les monts Albrégon, en suivant un itinéraire qui m'écartait des agglomérations. Pas une tâche de tout repos. Même petit et maniable comme le mien, un navire spatial n'a pas été conçu pour faire du rase-mottes. Piloter me réclamait une attention absolue, et une rapidité de réflexes un peu trop exceptionnelle.

Mais un Errant est familiarisé avec ce genre d'acrobaties. Les contrôles douaniers ne sont pas compatibles avec les bénéfices bien compris. Rien de plus enquiquinant que les Douanes. On les retrouve presque partout, et leurs impératifs variant avec chaque planète, elles paralysent quantité de transactions. Sans parler des taxes, qui ramènent les bénéfices au niveau zéro.

J'avais de la pratique. Elle me permettait d'éviter des obstacles visibles un dixième de seconde avant que le *Snark* ne se précipite dessus. J'avais de la chance, aussi. Il en faut, pour réussir le jeu d'esquive. Sinon, on y perd sa vie. J'ai connu quelques Errants qui y sont restés.

J'ai atterri dans une cuvette, pas trop près de la caverne où Kyra et Rikki devaient m'attendre, mais pas trop près non plus.

Et j'ai appelé mentalement le chat.

« *Giraud! Je suis bien content. J'étais inquiet.* »

J'ai transmis à Rikki les indication nécessaires pour que Kyra et lui viennent me rejoindre. En utilisant la navette volée, et en se pressant. Il fallait quitter Breskal d'urgence. Avant que la Police Planétaire n'ait la possibilité de nous tirer dessus.

La navette est arrivée en moins de trois secondes. Kyra en est descendue, avec les sacs, Rikki se perchait sur son épaule.

J'ai tranché dans les paroles et émissions de bienvenue. En ordonnant à Kyra de se sangler. J'ai rentré les sacs, et fourré Rikki dans une de ces cages protectrices que j'utilise quand je transporte des animaux. J'ai averti tout le monde. L'accélération allait être désagréable. Très. J'avais l'intention de m'arracher à Breskal aussi vite que le permettraient mes propulseurs. En admettant qu'un navire de la PP soit déjà en position de guet, il aurait moins de chance de viser juste.

Accélération plus distorsion m'ont achevé. J'ai tout juste réussi à mettre l'automatique en route, et à programmer Terra, avant de m'engloutir dans du noir doux et accueillant. J'avais tous les droits de me laisser aller. Nous nous étions échappés. Dans l'Hyper, il n'y a pas de poursuite possible.

Kyra me secouait. J'ai ouvert les yeux. Sans bonne volonté. Le retour au conscient réveillait des nœuds vipérins dans mes viscères, et des tenailles dans mes os. Ma douce compagne m'a pincé vigoureusement le nez, pour introduire une capsule dans ma bouche béante, et me faire boire.

— Avale!

J'ai avalé. Et j'ai commencé à me sentir mieux. Les reconstituants dont dispose notre époque sont supra-efficaces.

— Distorsion! Giraud! J'ai failli en crever! Rikki est malade aussi.

Une émission mentale faiblarde a confirmé le fait.

— Tu as une tête de cadavre, a constaté Kyra, plus réaliste que compatissante. Tu comptes recommencer ce genre de dingueries pour atteindre Terra?

— Ce ne sera pas nécessaire. Sur Terra, je connais une bonne filière. Nous atterrirons régulièrement. Ma cache est équipée contre les détecteurs. Pour faire sortir les clares du Cosmoport, je les confierai à un passeur. Dans des sacs scellés. J'ai eu souvent recours à cette filière. Elle fonctionne très bien.

— Je n'ai pas confiance!

— Kyra, les passeurs sont honnêtes. Pas par moralité, mais tout simplement parce que filouter un seul client leur vaudrait de les perdre tous. Les Errants se passeraient le mot.

— Tout de même! Giraud! Tu te rends compte de la fortune représentée par ces clares? Une tentation irrésistible. Il suffirait qu'un seul des passeurs découvre ce que contiennent les sacs... Honnêtement, je préférerais que tu recommences ce que tu as fait ici.

— N'y compte pas! Terra n'est pas Breskal. C'est une planète suréquipée. Elle dispose de tous les avantages d'une technique très poussée. Je n'échapperais pas sur Terra au réseau de surveillance comme je l'ai fait ici. Et Terra est la seule planète qui ne pratique pas de contrôle sur le marché des pierres précieuses. Nous ne vendrions pas nos clares ailleurs que là.

Kyra a soupiré.

— Bon. S'il n'y a vraiment pas d'autres moyens...

— Il n'y en a pas.

— Soit. Mais l'idée de confier mes clares à d'autres continue à me déplaire.

J'ai ri.

— Tu vois ce que c'est, devenir riche! On commence tout de suite à se faire des cheveux.

Mais Kyra ne voulait pas rire. Ses yeux pailletés étaient très froids.

— J'ai bien l'intention de conserver ma fortune, Giraud !

Ça sonnait plutôt comme une menace.

CHAPITRE XIX

J'ai toujours plaisir à retrouver le ciel de ma planète natale. Sa gamme de couleurs est unique dans la Galaxie. Il me suffit de lever le nez pour savoir que je suis rentré chez moi.

J'ai un bout d'appartement à Paris, qui me sert de port d'attache. Entre deux voyages, j'y séjourne volontiers quelques semaines. Mon havre n'est ni vaste, ni luxueux. Confortable, sans plus. Mais il me convient, et je m'y plais.

Je regardais distraitement le ciel inscrit dans mes vitres. Un ciel d'automne, gris pâle, traversé de nuages en fumées sombres. Il se reflétait dans l'argent de la Seine. Sur la rive, le vent arrachait des feuilles aux marronniers roussis. Il les dispersait en volutes flottantes.

Kyra était assise. Elle jouait, machinalement, avec un coquillage des mers de Berceuse. Une étincelante nacre mauve et violette, en forme de spirale.

Nous nous taisions. Parler avait abouti deux fois à un début de dispute.

Nous attendions la livraison des clares, confiés la veille à un passeur. Attente impatiente, qui nous irritait l'un et l'autre. J'en arrivais moi-même à douter. Les clares seraient-ils livrés, ou non?

Rikki, sans doute lassé de nos pensées trop fiévreuses, avait choisi de fermer son esprit, et de dormir. Lui ne se tracassait guère pour les clares. Les chats de Galma vivent dans leurs jungles tièdes, sans aucun souci de technique. Ils se nourrissent de fruits ou d'insectes. Le symbole même d'argent était étranger à Rikki. Il ne comprenait pas notre inquiétude.

Le chat avait passé la Douane aisément, sans plus de formalités qu'un examen vétérinaire. Terra n'a pas accordé aux chats de Galma un statut d'êtres pensants. Elle les classe dans le règne animal. Et elle autorise le transit des petits familiers avec leur propriétaire, à condition qu'ils soient en bonne santé.

Il existe, à Milan, un très florissant marché d'animaux extra-terrestres. La SPA ne le voit pas d'un très bon œil, mais elle n'a pas réussi à le faire interdire. La traversée du Cosmoport

avec Rikki perché sur mon épaule m'avait valu
des regards envieux. Plus quelques propositions
d'achat, à prix extrêmement élevé. Je m'étais
contenté de dire non. Inutile d'expliquer à ces
snobs que le chat possédait une intelligence
beaucoup plus grande que la leur. J'aurais
gaspillé ma salive.

Kyra tripotait toujours le coquillage de Berceuse. Je le lui ai retiré des doigts, pour le
replacer sur une étagère.

— Tu vas finir par le casser, et j'y tiens.

Vrai. Il m'arrive de ramener de mes voyages
une curiosité ou une autre. Mon appartement en
contient beaucoup. Je les aime toutes, sans souci
de leur valeur, mais parce que j'ai plaisir à les
regarder.

Kyra avait relevé la tête. Inquiétude et colère
se mêlaient dans son regard.

Elle a dit, d'une voix âpre :

— Il ne viendra pas !

J'ai répondu « il viendra ! » en martelant les
mots.

L'angoisse de Kyra était trop contagieuse.

Elle se levait, en s'étirant. Ses seins qui
saillaient ont allumé en moi l'envie de faire
l'amour. Je l'ai refoulée. Tout à fait inutile de
proposer ce genre de distraction. Dans son état
d'esprit actuel, Kyra m'enverrait paître.

Je me trompais. Quelques instants plus tard, Kyra m'invitait à un rapprochement intime.

Nous avons fait l'amour avec une violence très proche de la hargne. Résultat de détente appréciable.

Le passeur est arrivé avec la nuit. Un grand type maigre, aux allures d'épouvantail. Ses vêtements flottaient sur un corps décharné.

Je l'ai payé. En épuisant à peu près le reste des fonds de Kyra. Pas de paiement, pas de livraison. Epouvantail serait reparti avec les sacs si je ne l'avais pas réglé. Un vieux routier, regard en fente et bouche mince, qui connaissait toutes les ficelles. Je ne lui en aurais pas remontré. Au reste, si les passeurs ne filoutent pas leurs clients, les Errants respectent également le marché. Pour ne pas perdre la vie. Un client irrégulier se fait tuer, même si le châtiment doit mettre longtemps à l'atteindre. Il peut tenter de fuir, il ne sera jamais qu'un mort en sursis. La filière de passage étend ses ramifications très loin.

Epouvantail nous a quittés, avec un salut désinvolte.

Kyra arrachait déjà les scellés d'un sac. Elle a sorti une poignée de clares, et l'a fait ruisseler. Les cristaux scintillaient.

Kyra irradiait aussi. Ses yeux pailletés luisaient d'un éclat extraordinaire.

Elle m'a souri.

— Où les vendrons-nous, Giraud?

— A Amsterdam. Mais pas tous au même courtier. Il faudra les écouler par quantités moyennes, assez vite pour que le bruit ne se répande pas. Sinon, les cours s'effondreront.

— Fêtons ça, Giraud! Tu n'as pas de champagne?

— Non, mais je peux en programmer. Avec un repas agréable, peut-être?

— Dépêche-toi!

Je me suis retourné pour pianoter sur les touches de mon casier alimentaire.

Je crois que j'ai deviné quelque chose, dans mon dos, en même temps que l'appel mental incendiait mon cerveau par son intensité.

« *Attention!* »

Trop tard. Le choc sur ma nuque m'a fait plonger dans l'inconscience.

Une douleur pulsante à l'arrière du crâne. Une autre, moins féroce, mais picorante, plantait des aiguilles dans le lobe de mon oreille. Les aiguilles appartenaient à Rikki, qui me mordillait.

Je me suis assis, péniblement. J'étais hébété.
J'ai palpé ma tête. Une bosse molle palpitait
sous mes doigts.

« *Je suis désolé, Giraud. J'ai ouvert mon esprit
trop tard. J'ai essayé de l'empêcher de partir,
mais elle m'a projeté contre un mur.* »

L'émission mentale se mêlait aux battements
de mon crâne. Je ne comprenais pas.

« *Je l'ai mordue, tu sais. Mais pas beaucoup.
Elle était beaucoup plus rapide qu'Heinri Soultz.* »

J'ai regardé Rikki. Une boule de poils vert-de-
gris très ébourrifée. Le chat a sautillé. Il boitait.

Je commençais à réaliser. Beaucoup trop bien.
La tempête de rage qui naissait m'a mis debout.
Sa violence émoussait les battements dans mon
crâne.

Kyra!

Maudite garce distordue!

Kyra avait filé.

Avec les sacs.

Un réflexe irraisonné m'a précipité vers la
porte.

Je voulais rattraper Kyra, et l'égorger avec
mes dents.

« *Elle est partie depuis longtemps, Giraud. Je
n'arrivais pas à te réveiller. Je ne savais pas quoi
faire.* »

Bien sûr. Partie depuis longtemps. Le boudin de déryl avait bien rempli son office. Kyra m'avait assommé, et elle était partie. Bien tranquillement. Avec ma part. En me laissant les poches vides.

La rage me faisait grincer des dents.

« *Non, Giraud. Pas les poches vides. Regarde le divan.* »

Un petit monticule de clares se dressait sur ma couverture en fibre d'Esparu. Une poignée de pierres multicolores, vingt ou vingt-cinq, peut-être. Le reste de mes rêves de fortune. Une misère! Une aumône faite à un mendiant!

Qu'elle crève! Quelle crève infernalement suppliciée!

La fureur m'incendiait. L'envie de poursuivre Kyra était dévorante. Mais où la retrouver? Terra est vaste, et son réseau de communications fonctionne parfaitement.

Depuis son départ, Kyra avait eu le temps de vendre deux ou trois clares, et de prendre une navette pour n'importe où. La nuit terrienne en était à son milieu. Kyra devait déjà être très loin de Paris.

Je ne savais rien d'elle, à part son lieu de naissance : Moscou. Et même si elle vivait là? On peut se perdre aisément dans une grande cité. Je pourrais chercher ma voleuse toute une vie sans la trouver... Autant essayer de récupérer un grain de sable perdu sur une grève...

Je haïssais Kyra. Avec une violence qui me faisait trembler.

« *Il ne faut pas, Giraud. La haine est nuisible. Elle empoisonne. Kyra n'avait rien prémédité. Je l'aurais su. Je crois que les clares l'ont rendue folle. Ses ondes étaient devenues très mauvaises.* »

J'ai essayé de contrôler la rage pour réfléchir. Rikki avait sans doute raison. Kyra n'avait pas prémédité son acte. Elle *voulait* la richesse, avec une dévorante passion. La tentation avait été trop grande. Elle n'avait pas pu résister au besoin de posséder le tout, et non la moitié. Et j'avais perdu ma part...

« *Est-ce si important, Giraud, d'être très riche? Je comprends bien votre système d'échange, mais pas cette frénésie qui vous dévore quand vous pensez à l'argent. Les clares que Kyra a laissés ne suffisent pas pour te nourrir?* »

La naïveté de la question a fait refluer ma colère. Les clares suffisaient pour « *me nourrir* », bien évidemment.

Je les ai comptés. Vingt-sept, très exactement. Je n'étais plus le nabab que j'avais espéré être, mais je n'avais pas à souffrir de la gêne.

Vingt-sept clares, mon navire, plus des robots-extracteurs sûrement vendables ailleurs que sur Breskal. L'Arène ne me menaçait plus.

Etait-ce important, d'être très riche? Pas facile de cerner ce vaste thème. Le *système d'échange* mentionné par Rikki a déifié l'argent. Sage ou non, un être humain peut difficilement éviter de rêver à la très grande fortune. Mais que pèse-t-elle, au juste? Un seul poids bien réel : celui de la liberté. L'argent est l'unique clé pour atteindre à ce luxe : agir à sa guise, en toute circonstance. La misère est un maître, qui cravache et éperonne son esclave. Un sans-le-sou n'a pas de libre arbitre. Il doit se plier à toutes les contraintes. Seul le riche est libre de choisir.

Mais je n'étais plus misérable. Poussée par un petit remords, Kyra m'avait tout de même laissé quelques clares. Bien assez pour reprendre sans problème mon existence habituelle. Une existence qui me convenait.

Le regret de la fortune enfuie me restait dans le cœur, mais il ne me rongerait pas éternellement. Je l'oublierais bientôt.

Kyra m'avait joué un très sale tour. Si le hasard nous remettait un jour face à face, je lui demanderais des comptes, mais mon envie de meurtre s'était atténuée.

Qu'elle aille au Diable! Avec les clares!

Moi, j'étais un Errant. Qui reprendrait avec plaisir sa vie vagabonde.

Sans rien émettre, Rikki a chantonné une musique très guillerette.

DÉJA PARUS DANS LA MÊME COLLECTION

Achevé d'imprimer en janvier 1992
sur les presses de Cox & Wyman Ltd
à Reading (Berkshire)

Dépôt légal : février 1992
Imprimé en Angleterre